Nutrição e fitoterapia

Dados Internacionais de Catalogação na Publicação (CIP)
(Câmara Brasileira do Livro, SP, Brasil)

Costa, Eronita de Aquino
  Nutrição e fitoterapia : tratamento alternativo
através das plantas / Eronita de Aquino Costa. – 3. ed.
Petrópolis, RJ : Vozes, 2014. – (Coleção Medicina Alternativa)

6ª reimpressão, 2021.

ISBN 978-85-326-4148-9
  1. Ervas – Uso terapêutico 2. Fitoterapia
3. Medicina alternativa 4. Plantas medicinais
5. Saúde – Aspectos nutricionais I. Título. II. Série.

11-04401   CDD-615.535

Índices para catálogo sistemático:
1. Plantas : uso terapêutico : Medicina natural
615.535

Eronita de Aquino Costa

Nutrição e fitoterapia
Tratamento alternativo através das plantas

Petrópolis

© 2011, Editora Vozes Ltda.
Rua Frei Luís, 100
25689-900 Petrópolis, RJ
www.vozes.com.br
Brasil

Todos os direitos reservados. Nenhuma parte desta obra poderá ser reproduzida ou transmitida por qualquer forma e/ou quaisquer meios (eletrônico ou mecânico, incluindo fotocópia e gravação) ou arquivada em qualquer sistema ou banco de dados sem permissão escrita da editora.

CONSELHO EDITORIAL

Diretor
Gilberto Gonçalves Garcia

Editores
Aline dos Santos Carneiro
Edrian Josué Pasini
Marilac Loraine Oleniki
Welder Lancieri Marchini

Conselheiros
Francisco Morás
Ludovico Garmus
Teobaldo Heidemann
Volney J. Berkenbrock

Secretário executivo
João Batista Kreuch

Editoração: Frei André Luiz da Rocha Henriques
Diagramação: AG.SR Desenv. Gráfico
Capa: Aquarella Comunicação Integrada

Os direitos autorais desta obra foram cedidos pela autora à Associação de Assistência Evangélica aos Portadores de HIV/AIDS, de Porto Alegre/RS.

ISBN 978-85-326-4148-9

Editado conforme o novo acordo ortográfico.

Este livro foi composto e impresso pela Editora Vozes Ltda.

Agradecimento

Agradeço a Deus pela proteção que recebo.

Aos meus filhos e netos que contribuem com meu trabalho, e são a razão do meu viver.

Sumário

Introdução, 11

Plantas com seus valores medicinais, 13

1) Abacateiro, 15

2) Abutua, 17

3) Acerola, 19

4) Agar-agar, 21

5) Agoniada, 23

6) Agrião, 25

7) Aipo, 28

8) Alcachofra, 30

9) Alcaçuz, 32

10) Alecrim, 34

11) Alfafa, 37

12) Alfavaca, 39

13) Alfazema, 42

14) Algas calcárias, 44

15) Algas marinhas, 46

16) Algodoeiro, 48

17) Alho, 50

18) Amor-perfeito, 53

19) Anis, 55

20) Anis-estrelado, 57

21) Arnica, 59

22) Aroeira-da-praia, 61

23) Arruda, 63

24) Artemísia, 65

25) Aveia, 67

26) Avenca, 70

27) Babosa, 72

28) Bardana, 76

29) Berinjela, 78

30) Bétula, 80

31) Boldo-do-chile, 82

32) Borragem, 84

33) Cajueiro, 86

34) Calêndula, 88

35) Camomila, 90

36) Canela, 93

37) Canela-sassafrás, 95

38) Capim-limão, 97

39) Cardo-mariano, 99

40) Carquejinha, 101

41) Cáscara-sagrada, 103
42) Castanha-da-índia, 105
43) Castanha-do-pará, 107
44) Catuaba, 109
45) Cava-cava, 111
46) Cavalinha, 113
47) Centela, 115
48) Chá-da-índia, 118
49) Chapéu-de-couro, 120
50) Cipó-cabeludo, 122
51) Clorela, 124
52) Copaíba, 127
53) Cordão-de-frade, 129
54) Crataegos, 131
55) Dente-de-leão, 133
56) Equinácea, 135
57) Erva-cidreira, 137
58) Erva-de-bicho, 139
59) Espinheira-santa, 141
60) Fáfia, 143
61) Fedegoso, 145
62) Fucus, 147
63) Funcho, 149
64) Garra-do-diabo, 151
65) Genciana, 153
66) Gengibre, 155
67) Ginkgo, 157
68) Ginseng coreano, 159
69) Glucomanan, 162

70) Goiabeira, 164
71) Guaçatonga, 166
72) Guaco, 168
73) Guanxuma, 170
74) Guar, 172
75) Guaraná, 174
76) Hamamelis, 176
77) Hera, 178
78) Hibisco, 180
79) Hipérico, 182
80) Hortelã-pimenta, 184
81) Jalapa, 186
82) Jurubeba, 188
83) Kelp, 190
84) Laranja-amarga, 192
85) Linhaça, 194
86) Losna, 196
87) Malva-silvestre, 198
88) Marcela-do-campo, 200
89) Mastruço, 202
90) Melissa, 204
91) Noz-de-cola, 206
92) Pata-de-vaca, 208
93) Poejo, 210
94) Psyllium, 212
95) Quebra-pedra, 214
96) Quina, 216
97) Romã, 218
98) Sabugueiro, 220

99) Salsaparrilha, 222

100) Sálvia, 224

101) Spirulina, 226

102) Tanchagem, 229

103) Unha-de-gato, 232

104) Urtiga, 234

105) Uva-ursi, 236

106) Valeriana, 238

Princípios gerais de secagem das ervas, 241

Algumas dicas de preparo das ervas, 243

Glossário, 245

Referências, 259

Introdução

A origem do uso de plantas medicinais pelo homem remonta à Pré-história, quando, alimentando-se de ervas e raízes, os primatas, por instinto, utilizavam as plantas como medicamentos. Registros arqueológicos provam que há milênios diversos povos, principalmente orientais, conheciam o poder das plantas medicinais como remédio, substância aromática e óleo essencial.

Desde os primórdios da civilização humana, técnicas e conceitos de cura pelos elementos da natureza são conhecidos e transmitidos através das gerações. Hoje, as chamadas "ervas medicinais" ganham um destaque especial no tratamento preventivo e também, auxiliando em muitos distúrbios, como tratamentos curativos.

Atualmente, podemos sentir, em muitos setores, profundas mudanças, que vieram crescendo nas últimas décadas; trata-se de um retorno à vida natural, como tratamento com fitoterápicos. Importante deixar bem claro que são tratamentos alternativos, que podem resolver seus problemas de saúde ou não. As plantas possuem um princípio ativo que merece muito cuidado.

Este tratamento é mais demorado, apesar de eficiente; e também precisa ser bem orientado, usando as quantidades corretas e o tempo necessário para cada problema. Os chás são muito bons nas medidas certas, podendo o exagero ser prejudicial. Os princípios ativos são substâncias que caracterizam quimicamente a planta.

Sua ação farmacológica é conhecida total ou parcialmente pelos efeitos terapêuticos; e a utilidade das plantas medicinais é regida em função da concentração desses princípios ativos, presentes na droga vegetal. Tais princípios são substâncias que elas sintetizam e armazenam durante seu crescimento.

As plantas possuem propriedades terapêuticas: não são estáveis, nem se distribuem de maneira homogênea. Seus compostos químicos podem estar concentrados nas raízes, rizomas, talos, caules, sementes, folhas ou flores, e o teor varia de acordo com a época do ano, solo ou clima onde a planta vive.

As diferenças existem até em plantas curativas que vivem lado a lado, da mesma forma como a produção de hormônios varia de pessoa para pessoa. Não se deve esquecer que existem plantas que possuem fito-hormônios vegetais. Os principais grupos de princípio ativo são: alcaloides, glicosídeos, taninos, mucilagens, óleos essenciais e substâncias pécticas.

Plantas com seus valores medicinais

1
Abacateiro
(Persea americana; Persea gratissima)

Parte utilizada

Folhas e óleo.

Constituintes

Suas folhas são constituídas de hidrocarbonetos, ácidos voláteis, tanino, quercitina, esteróis, lecitina, aminoácidos, flavonoides, amido, glicose, sacarina, gorduras, resina cristalizada, ácido málico, ácido acético, fitosteróis, vitaminas A, B, D e E, e são ricas em cálcio, ferro, fósforo e potássio. Tanto as folhas como os brotos são ricos em clorofila de melhor qualidade medicinal por conter mais óleo essencial e mucilagem. Seu princípio amargo é a abacatina, possui um óleo pígue com palmitina, oleína e estearina.

Ação

Sua ação é carminativa, diurética, emenagoga, colagoga, estomáquica, antidiarreica, antissifilítica, anti-inflamatória, expectorante balsâmico; seu óleo essencial é antirraquítico, emoliente, calmante e suavizante da pele.

Propriedades

Suas propriedades diuréticas possuem ação direta sobre o sistema renal; combatem os gases intestinais, debilidade estomacal, dispepsia atônica, náuseas, diarreia, disenteria, inflamações gastrointestinais; excitam a vesícula biliar, auxiliando o fígado na produção da bílis; acalmam as dores e cólicas renais; aumentam a produção de urina, eliminando os cálculos renais e as toxinas.

Indicações

É indicado no tratamento da uremia, da cistite e da uretrite; acalma a dor de cabeça da neuralgia; alivia o cansaço e infecções da garganta; relaxa a musculatura lisa brônquica, auxiliando no tratamento da tuberculose pulmonar; e ajuda no tratamento do raquitismo e da diabetes. Pela ação dos flavonoides, constitui estímulo ao fluxo menstrual.

Dosagens

Infusão: 2 a 4g das folhas verdes. Tomar frio, três a quatro xícaras ao dia.

Obs.: O chá deve ser preparado diariamente, nunca tome chá preparado no dia anterior.

Decocção: em forma de compressas locais e banhos.

Óleo: usa-se para massagens e em cremes e loções.

2
Abutua
(Parreira-brava – Chondrodendron platiphyllum)

Parte utilizada

Raízes e cascas.

Constituintes

É constituída de uma trepadeira frutífera em cachos não comestíveis, suas folhas são semelhantes à videira, sendo utilizada como tônico de agradável paladar. Sua polpa envolve uma semente de sabor amargo e sua raiz é amarelada ou pardacenta; contém alcaloides.

Ação

Suas folhas possuem uma ação especial sobre as fibras musculares que tonifica todo o organismo; atua no sistema gastrintestinal, facilitando a digestão; é diurética, anti-inflamatória, febrífuga, aperiente na menstruação difícil, nas afecções, como anemia e clorose, nas dores, esclerose, nervosismo, catarro vesical e mucosa.

Propriedades

É diurética e um analgésico nas cólicas e inflamação das vias urinárias; elimina os cálculos renais, atua na mucosa uterina, na menstruação difícil e dolorosa, nas regras atrasadas, cólicas e corrimentos. Usa-se externamente em caso de inflamação crônica dos testículos: aplica-se o cozimento da raiz e do tronco, junto coloca-se um pouco de álcool e farinha de linhaça, sob forma de cataplasma sobre o escroto. Caso não tenha linhaça, pode-se usar farinha de milho (fubá).

Indicações

É indicada na dispepsia atônica, má digestão, constipação intestinal, hidropisia, cálculos renais, febres intermitentes, cólicas uterinas, menstruação difícil, tonturas e sono após as refeições, nervosismo, reumatismo, deficiência de suco gástrico, afecções gastrointestinais, como inflamações e dores gástricas em geral, afecções hepáticas e nefropatias.

Contraindicação: na gestação e lactação.

Dosagens

Decocção: 4 a 5g da raiz e casca do tronco, por cinco a dez minutos, em meio litro de água e tomar frio, duas xícaras ao dia.

Tintura: preparada em laboratório, em doses de uma colher de chá em 150ml de água fervente, duas a três vezes ao dia, ou de acordo com a orientação do profissional.

3
Acerola
(Malpighia glabra)

Parte utilizada

Folhas e flores.

Constituintes

O principal constituinte da folha da acerola é a vitamina C. Contém alta taxa de ácido ascórbico, minerais, mucilagem, proteínas, hidrato de carbono, caroteno, rutina, riboflavina, niacina, hesperidina, tanino, ferro, cálcio e flúor.

Ação

Antiescorbútica, diurética, emoliente e laxante suave em caso de constipação e também é eficaz contra diarreias, agudas ou crônicas, e disenteria. Possui poder antioxidante que fortalece o cérebro, ativa a memória e o sistema nervoso, deixando a pessoa tranquila, e previne a gripe.

Propriedades

O chá das folhas e flores contém as principais propriedades da acerola. É a vitamina C que aumenta a assistência contra gripes e resfriados, protegendo o organismo contra infecções. Previne os cálculos hepáticos, icterícia, acidez gástrica; seu chá desintoxica o sistema urinário, eliminando as toxinas, cálculos e areia dos rins e da bexiga, cura tosses, bronquite e catarros pulmonares. Suas folhas possuem poder antioxidante que sequestra os radicais livres e elimina o estresse.

Indicações

É indicado no estresse, fadiga, gripes e resfriados, afecções pulmonares, problemas do fígado e da vesícula biliar, hepatite virótica, poliomielite; é ótimo na gravidez e previne o envelhecimento precoce. Nos problemas de tosses pulmonares, deve-se tomar quente o chá das flores com mel. O chá das folhas é ótimo contra diarreias e disenterias para pessoas que necessitam de vitamina C.

Dosagens

Infusão: de 2 a 4g em uma xícara de água, duas a três vezes ao dia.

4
Agar-agar
(Gelidium corneum)

Parte utilizada

Toda a alga.

Constituintes

Agar-agar é um coloide hidrofílico, uma hemicelulose mucilaginosa, extraída de certas algas vermelhas, como Gelidium cartilagineum e outras. Essas algas são abundantes nos mares, junto às costas e em diversas regiões do globo. É uma gelatina de origem vegetal que possui pouquíssima proteína, mas esta alga é de grande valor medicinal; é um estabilizador de emulsões, constituída por dois polissacarídeos, a agarose e a garopectina, e minerais, como: cálcio, cloro, ferro, fósforo, iodo, potássio, celulose, mucilagem, fibras e anidrogalactose.

Ação

Atua absorvendo água, formando um gel demulcente, aumentando o volume do bolo alimentar e promovendo sensação de saciedade. Laxante suave, estabilizador de emulsões, conservante de carnes e bebidas.

Propriedades

O agar-agar, ao contrário das outras gelatinas, tem pouca proteína e possui alto valor medicinal; é um laxante suave que absorve água do intestino, aumentando o bolo fecal, excretado por via reflexa às contrações intestinais; controla o metabolismo endócrino, provoca aumento da taxa metabólica de iodo e supre a energia física e mental. Sua taxa calórica é muito baixa, devido à pouca absorção de polissacarídeos, e seu maior benefício nutricional é garantir com eficiência a circulação normal pelos tecidos, protegendo as veias e artérias dos membros inferiores evitando varizes; é um tranquilizante protetor contra infecções.

Indicações

Hipotireoidismo, varizes e má circulação periférica; dá proteção às veias arteriais e capilares e auxilia na cura da constipação intestinal, obesidade, gases intestinais e edemas dos membros inferiores. Nos laboratórios usa-se na fabricação de emulsões e supositórios. Na indústria é utilizado na fabricação de xaropes de frutas, confeitos, sorvetes, cremes, conservas de carnes e bebidas.

Dosagens

Pó: 0,5 a 1g, duas vezes ao dia, antes das refeições, com dois copos de água. O melhor é o preparado em laboratórios farmacêuticos em forma de drágeas ou em cápsulas.

5
Agoniada
(Plumeria lancifolia)

Parte utilizada

Folhas, flores e cascas.

Constituintes

Agoniada é uma árvore frondosa, que possui grandes raízes e caule lactescente. Sua casca é cinzenta e muito amarga, suas flores são grandes e brancas, com frutos grandes. Multiplica-se por sementes, possui um látex que é extraído da casca da árvore, seu princípio amargo "plumerma" e o alcaloide "agoniadina".

Ação

Possui ação anti-inflamatória, anti-infecciosa, antianêmica, laxante, emenagoga, anti-helmíntica e antiasmática.

Propriedades

Auxilia na concepção, regula a menstruação difícil, atua diretamente sobre o útero como descongestionante, age contra a inflamação nas glândulas e gânglios linfáticos (adenites), atua na gastrite, flatulência, constipação intestinal, asma, febre intermitente, histeria, sífilis, ingurgitamento ganglionar e linfático.

Indicações

É indicada para curar a anemia hipocrômica microcítica que é comum em jovens, que se caracteriza, entre outros sintomas, por palidez intensa (clorose). Cura amenorreia, dismenorreia, corrimento vaginal, inflamação dos ovários e todas as doenças do útero.

Dosagens

Chá: 2 a 4g de folhas verdes para uma xícara de água, três a quatro vezes ao dia, até desaparecer o problema.

6
Agrião
(Nasturtium officinale)

Parte utilizada

Caules e folhas.

Constituintes

O agrião é considerado alimento e remédio, por conter uma inesgotável fonte de nutrientes necessários à saúde humana. Seus principais elementos são: heterosídeos sulfurados, glicosídeos, isossulfonato de feniletila, ácido sulfociânico, gliconasturina, nitratos, vitaminas A, B2, C, D e E, e os minerais, cálcio, ferro, iodo, fósforo, cobre, fosfato e enxofre. É um óleo essencial feniletílico com notável biodisponibilidade de enxofre em sua molécula. Esses elementos aceleram o metabolismo e a formação de glóbulos vermelhos, regulam o funcionamento da glândula tireoide, evitam a fadiga mental e retiram as toxinas do organismo, afastando os efeitos tóxicos da nicotina, uma vez administrado o chá verde e fresco.

Ação

Tanto o talo como as folhas têm várias propriedades terapêuticas, sendo anti-inflamatório, diurético, descongestionante, digestivo, antiespasmódico, antiescorbútico, cicatrizante, depurativo do sangue, anticaspa, tônico estimulante, expectorante, antitussígeno e antirraquítico. Possui importante ação contra as enfermidades das vias aéreas superiores, na bronquite, asma, tuberculose pulmonar, caspa e queda do cabelo.

Propriedades

O agrião possui um óleo levemente picante, chamado óleo de mostarda, que provoca um aumento de secreção das mucosas do nariz, da garganta e da traqueia, sendo benéfico nos casos de tosse seca persistente ou de expectoração purulenta, evitando problemas nos brônquios e nos pulmões; cura o raquitismo e a hidropisia, elimina os cálculos renais, produz aumento no funcionamento das glândulas e órgãos de secreção como o fígado e o pâncreas. Para aproveitar ao máximo as importantes propriedades deve ser utilizado fresco e verde.

Indicações

Uso interno: é indicado no tratamento de todas as enfermidades das vias urinárias, como cálculos renais, inflamações, insuficiência renal e vias respiratórias em geral. É antigripal, combate asma, bronquite, traqueobronquite, hidropisia e escorbuto; é depurativo do sangue, estimula as glândulas de secreção e órgãos como o fígado e o pâncreas. Por ser um tônico gástrico, facilita a digestão, previne a gastrite, as úlceras gastroduodenais e a atonia dos órgãos digestivos; aumenta a produção da bílis, combate as inflamações e hipertrofia da tireoide pela taxa elevada de iodo e baixa glicose que contém. Aconselha-se utilizar como alimento, muito fresco e verde, e lavá-lo muito bem, deixando uns minutos de molho na água com vinagre, pois é suscetível de transmitir uma doença parasitária, a distomatose. Se houver o devido cuidado, sem dúvida, a planta merece a designação da nossa saúde.

Uso externo: infecções dermatológicas, erupções, eczemas, acne, protege a pele contra o frio e o sol, queda de cabelo e caspa; usa-se massageando o couro cabeludo com o chá frio.

Contraindicações: não é aconselhado se a pessoa já é portadora de úlcera gastroduodenal, e a gestante deve usar com moderação.

Dosagens

Infusão: 2 a 4g da planta fresca ou 2g da planta seca para uma xícara de água, duas a três vezes ao dia. Pode ser usado em xarope com mel de abelha contra gripe, tosse e problemas pulmonares.

Decocção: ferver 3 a 5g de folhas frescas, durante três minutos em fogo brando, e tomar duas xícaras ao dia.

Alimentação: o melhor mesmo é utilizar como salada ou suco, sempre com os devidos cuidados.

7
Aipo
(Apium graveolens)

Parte utilizada

Raízes, bulbos e sementes.

Constituintes

Planta de alto valor medicinal, no bulbo encontra-se um óleo essencial considerado ótimo remédio, com efeito específico sobre os rins. Contém, tanto nas folhas como no bulbo, o óleo essencial apiona, inosita, sais minerais, vitaminas, amido, pentose, colina, tirosina, glúten, glicoquinas, um hormônio semelhante à insulina que atua no pâncreas auxiliando no controle da diabetes. É emenagogo, antirreumático, antiartrítico, carminativo, anticancerígeno, estimulante, anti-hepatóxico e regulador enzimático.

Ação

Antidepressiva, diurética, desintoxicante do fígado, depurativo do sangue, cura a icterícia, gases intestinais e regula a menstruação.

Propriedades

O chá da raiz previne os cálculos renais, desintoxica o fígado, curando a icterícia. É um tônico que fortalece os nervos, protege o organismo contra a xeroftalmia e previne o escorbuto. É ótimo na dismenorreia, nefrite, hepatite, hidropisia, reumatismo, gota, febre, debilidade geral, artritismo, diástase de ação úrica, debilidades nervosas e depressões, que pode ser devido à formação excessiva de ácidos nos tecidos, e atua contra gases intestinais.

Indicações

Na hipertensão, colite crônica, anemia e paludismo. É diurética, causando um efeito específico sobre os rins, pois os vasos renais dilatam-se e aumentam a expulsão de águas, eliminando os produtos tóxicos do metabolismo.

Dosagens

Decocção: para o fígado e rins, 20g da raiz, um litro de água, e tomar uma xícara três vezes ao dia.

Chá: para o intestino, estômago e flatulências, tomar o chá com uma colher de sobremesa das sementes, uma xícara três vezes ao dia.

8
Alcachofra
(Cynara scolymus)

Parte utilizada

Folhas.

Constituintes

É composto de um princípio amargo – a cinaropicrina –, flavonoides, glicosídeos (cinarosídeo e scolimosídeo), ácidos orgânicos, ácido málico, ácido glicérico, ácido glicólico, ácido clorogênico e ácido cafeico, tanino, pectina, mucilagem, pró-vitamina A, e as enzimas catalase, peroxidase, oxidase e cinarase, glicosídeo colerético, alcachofra, cinarina, vitaminas A e C e sais minerais.

Ação

Energética, diurética, fitoterápico laxativo e depurativo, tem ação sobre o sangue, reduzindo o colesterol e taxas de ureia; é hiperglicêmica, colerética, colagoga, hipotensora, desintoxicante das funções do fígado e intestinos.

Propriedades

A cinarina e os flavonoides da alcachofra possuem propriedades anti-hepatóxicas e hipoglicêmicas. Estimula, através da síntese enzimática, a secreção do fígado. Elimina o ácido úrico e controla a pressão arterial, sendo indicada especialmente nos distúrbios digestivos. Aumenta a secreção gástrica e biliar, controla a acidez, atua eliminando as toxidades e todas as afecções hepáticas e previne cálculos biliares. Por ser rica em ferro, auxilia na hiperlipidemia, elimina gradativamente ateromas dos vasos sanguíneos e as altas taxas de lipídios do sangue, além de auxiliar na excreção da amônia e da ureia.

Indicações

Insuficiência hepática, hipertensão, diabetes, afecções hepatobiliares, colesterolemia e ureia, problemas gástricos e renais, na prevenção de cálculos biliares e na obesidade.

Dosagens

Infusão: 2 a 4g das folhas, em uma xícara de água, após as refeições. Não guarde o chá pronto, devendo-se preparar e tomar logo. Lembre-se que o chá pode tornar-se tóxico, devendo ser usado em cápsulas preparadas em laboratório.

9
Alcaçuz
(Glycyrrhiza glabra)

Parte utilizada

Raízes.

Constituintes

Conteúdo químico e nutricional, asparagina, biotina, gorduras, glicirrizina, goma, inositol, lecitina, PABA, terpenos pentacíclicos, proteínas, ácidos, vitaminas E, B1, B2, B3, B5, B6 e B9, fósforo, manganês, açúcar, corante amarelo e tanino.

Ação

Anti-inflamatória, antisséptica, antiespasmódica, emoliente, diurética, antibacteriana, anticancerígena, desintoxicante, expectorante, laxante suave, hipoglicêmica, calmante; possui ação na cura de úlceras duodenais.

Propriedades

Promove o funcionamento das glândulas suprarrenais e diminui os espasmos musculares e esqueléticos.

Aumenta a fluidez do muco dos pulmões e túbulos brônquicos, tem efeito semelhante ao hormônio estrogênio e modifica a voz. Auxilia no combate às inflamações das vias urinárias, descongestiona o fígado, acabando com as bactérias patogênicas, e atua contra a icterícia, na colite e nos problemas intestinais, como purificador do cólon. Previne e ajuda no tratamento da hepatite A, acalma e diminui a acidez do estômago, desaparecendo a sensação de estômago cheio. Auxilia no tratamento das úlceras estomacais, gastrite e diverticulite.

Indicações

Nos transtornos digestivos e intestinais como náusea, enjoo, vômito, icterícia; previne e ajuda no tratamento da hepatite e problemas respiratórios. É expectorante nas tosses, bronquites, rouquidão, infecções da boca e da garganta, laringite e conjuntivite. Ajuda a enjoar o cigarro, acalma a inflamação e alivia as dores dos olhos.

Contraindicação: o hipertenso não deve fazer uso desta planta.

Dosagens

Infusão: 4 a 5g em uma xícara de água, três a quatro vezes ao dia.

10
Alecrim
(Rosmarinus officinalis)

Parte utilizada

Folhas e flores.

Constituintes

Óleo essencial constituído de derivados monoterpênicos, eucaliptol, cineol, borneol, pineno, ácido ferrólico, cafeico, ácido orgânico e clorogênico, contém flavonoides, tanino, acetato de bornila e diterpeno (princípio ativo), cânfora, colina, saponina e alcaloides.

Ação

Atribui-se ação tônica, estimulante, antisséptica, cicatrizante e antimicrobiana. Estimulante do couro cabeludo, diminui a permeabilidade e fragilidade capilar e elimina a caspa. Os ácidos fenólicos são responsáveis por suas ações colerética e colagoga. É emenagogo, ótimo remédio na menstruação irregular e dolorosa, alivia as cólicas e o estado nervoso da tensão pré-menstrual.

Propriedades

Antiespasmódico, antiácido, atua no tratamento de problemas digestivos e afecções do fígado; possui efeito hepatoprotetor nos casos de hepatite e de colelitíase crônica; controla a secreção biliar, auxiliando na digestão; reduz a azia e a formação de gases digestivos e distúrbios intestinais. É um tônico geral da circulação e estimulante do sistema nervoso central. No caso de esgotamento cerebral por excesso de trabalho intelectual, atua na parede dos vasos sanguíneos, aumentando a irrigação e controlando a pressão arterial. É excelente nas afecções reumáticas e articulares, previne a inflamação, impedindo que as bactérias prejudiciais se desenvolvam, inibe o crescimento de salmonelas, escherichia coli e estafilococos.

Indicações

Combate a depressão, afecções gastrintestinais, digestão difícil, espasmos e cólicas gastrointestinais, ligeira atonia estomacal, fortalece a memória e o sistema nervoso central. Cura tosse crônica, coqueluche, asma, bronquite, depressão, epilepsia; previne a queda dos cabelos, clorose; combate as doenças renais e dissolve os cálculos renais. Auxilia na cura da hanseníase, sífilis e feridas em geral e é ótimo em caso de menstruação irregular, cólicas, estado nervoso, tensão pré-menstrual. É devido a essas propriedades excelentes que as farmácias de manipulação e perfumarias o preparam em forma de óleos, sabonetes, loções e água de colônia; todos maravilhosos produtos, que, além da parte medicinal que conhecemos, são usados contra a caspa e queda de cabelo em loções capilares, dentifrícios e banhos estimulantes.

Contraindicações: Quando utilizado em doses excessivas pode causar irritação renal e gastrointestinal. É contraindicado na gravidez, problemas de próstata, pacientes com gastroenterite e dermatoses em geral. Pode alterar o sono, quando utilizado durante a noite.

Dosagens

Infusão: de 6 a 10 folhas para uma xícara de água, ou moída uma colher de chá. Se as folhas forem secas, tomar uma ou duas xícaras ao dia.

Alimentação: usa-se como tempero de carne de cordeiro e de porco, e aromatizante nas batatas assadas, também se usa nos armários da cozinha e sachês para roupeiro.

11
Alfafa
(Medicago sativa)

Parte utilizada

Folhas e raízes.

Constituintes

De matéria nitrogenada, ácido graxo, celulose. Pela sua riqueza de nutrientes, supre as necessidades proteicas de vitaminas e minerais. Suas folhas e raízes são um dos elementos mais ricos em todos os flavonoides, vitaminas A, B, C, D, E e K, cálcio, fósforo, magnésio, potássio, ferro, aminoácidos, enzimas, saponinas, alta taxa de clorofila que ajuda na cura de úlceras gastrintestinais.

Ação

Ação diurética, revigorante na fadiga e falta de apetite; neutraliza os ácidos gástricos, na gastrite e úlceras gastroduodenais; atua contra as hemorroidas e eczemas. A vitamina K auxilia no processo de coagulação e protege o indivíduo contra hemorragias. O hemofílico deveria fazer uso desta planta quase que diariamente, pois seus brotos podem ser usados facilmente como salada.

Propriedades

Sua propriedade medicinal é rica em nutrientes, suas folhas e raízes possuem todos os elementos, tornando-se um constituinte contra o raquitismo, a inapetência e o escorbuto. Os minerais são alcalinos, mas têm efeito neutralizador do trato digestivo e intestinal, nas afecções nervosas, na insônia, neurastenia, evitando a gastrite e úlceras digestivas; age nas hemorroidas, na anemia causada por deficiência de ferro, assim como na hemorragia, por deficiência de vitamina K e potássio, nos processos de coagulação e deficiência do sangue.

Indicações

Nas afecções nervosas, artrite reumatoide, fadiga causada por alimentação deficiente, escorbuto, raquitismo, anemias, falta de apetite, má digestão e doenças hepáticas. Cura a cistite crônica, problemas hepáticos, dores nos membros inferiores, asma e hipertensão arterial. Para pernas e pés, fazer cozimento das sementes para banhos e fricções nos pés e pernas, pois estimula a circulação periférica e alivia as pernas cansadas e doloridas.

Contraindicação: para quem usa anticoagulante.

Dosagens

Infusão: 5 a 10g em uma xícara de água, três vezes ao dia, podendo ser a folha seca ou a raiz.

Alimentação: podem ser usados os brotos em salada, uma boa porção.

12
Alfavaca
(Ocimum basilicum)

Parte utilizada

A planta inteira.

Constituintes

Constituído de matéria nitrogenada, celulose, óleo essencial rico em eugenol, estragol, lineol, linalol, alcanfor, tanino, flavonoides, vitaminas A, B, C, D, E e K, proteínas, aminoácidos, minerais como o cálcio, ferro e fósforo, enzimas e saponinas.

Ação

Carminativa, galactógena, diurética, antisséptica intestinal, estimulante, emenagoga, anti-helmíntica, antiespasmódica, tônico estomacal, aromática, sudorífica, perfumada.

Propriedades

Diurética, galatógena, empregada nas afecções respiratórias, na amigdalite, faringite, laringite e aftas; combate as contrações musculares bruscas do estômago e os gases intestinais; é um tônico nervino em caso de estafa mental e nervosismo dos intelectuais, que se manifestam com dores de estômago; atua contra cólicas intestinais e dores em geral, febres, nefrolitíase ou qualquer doença dos rins. Por ser diurético, elimina os cálculos e areia dos rins, elimina a inflamação dos testículos, e afecção respiratória da tuberculose pulmonar e irregularidades menstruais.

Indicações

É indicada no reumatismo, doenças do estômago e dos intestinos, nas inflamações em geral, na paralisia e edemas dos membros inferiores, constipação crônica dos intestinos, angina, tosses convulsivas, coqueluche, gripes, resfriados, má digestão, dispepsia, espasmos musculares e gástricos, diabetes, flatulência, enxaquecas e ardência na uretra para urinar.

Contraindicações: não há referências na literatura consultada.

Dosagens

Uso interno: para tosse, gripes, resfriados, tuberculose pulmonar ou qualquer doença do sistema respiratório, tomar o chá quente, adoçado com mel de abelha. Com a raiz prepara-se um xarope contra a tuberculose. Para edemas e dores nos membros inferiores, fazer banho morno com o chá e tomar uma xícara do chá, três vezes ao dia. Para o intestino, estômago, nervos e espasmos, tomar o chá com algumas gotas de limão e uma colher de açúcar, uma xícara, três vezes ao dia. Para vertigens e vômitos, tomar o chá só quando surgir o problema. Para diminuir as náuseas e a debilidade nervosa, causadas pela quimioterapia e mau hálito, tomar o chá não muito forte.

Uso externo: seios com fissuras, fazer compressas com o chá no bico do seio. Para queda de cabelo, fazer chá com um punhado de folhas, colocar água, ferver e após quinze minutos friccionar no couro cabeludo. Para debilidade geral e cansaço físico e mental, é um ótimo energético o chá das folhas adoçado com mel ou açúcar.

13
Alfazema
(Lavandula officinalis)

Parte utilizada

Toda a planta, mas o melhor são as flores.

Constituintes

A flor contém um azeite volátil. É uma planta aromática, contém cumarina, um princípio amargo, asparagina, betaína, tanino, aldeídos, cetonas, limoneno, sesquiterpenos, gerânio, essência, resinas, mucilagens, amiláceos e glicose.

Ação

Usa-se toda a planta contra dores de cabeça, enxaquecas, nervosismo, câimbras, lordose, icterícia, neurose, problemas cardíacos e digestivos; acalma e previne tonturas, é fortificante do sistema imunológico, atua na inapetência, na debilidade orgânica e é repelente de insetos.

Propriedades

Tônico antimicrobiano, expectorante, antiespasmódico, sedativo, carminativo, diurético, cicatrizante, estimulante da circulação periférica, antirreumático, antidepressivo, colagogo, antiasmático, sudorífero, diaforético e refrescante, com propriedade medicinal cientificamente comprovada.

Indicações

É indicada nas doenças pulmonares, tosses com catarro, expectoração, laringite, faringite, coqueluche, asma e reumatismo; estimula as células estomacais, combatendo os gases, cólicas intestinais, diarreia crônica, hipocondria e icterícia; atua nas afecções do fígado e do baço, na dispepsia, nas doenças cardiorrespiratórias, na excitação nervosa, clorose e combate inflamações do aparelho urinário como rins, bexiga e uretra; elimina cálculos renais e atua nas neuralgias hemicranianas.

Dosagens

Infusão: uso interno, 6 a 8g de folhas verdes e flores da planta numa xícara com água, quatro vezes ao dia.

Óleo: preparado em laboratório, pode ser de uso oral, devendo-se pingar algumas gotas deste óleo sobre uma colher de chá de açúcar, dissolvendo lentamente na boca.

Uso externo: pode-se colocar também algumas gotas, tanto desse óleo como da essência de alfazema, sobre as têmporas e os pulsos, para livrar-se do cansaço.

14
Algas calcárias
(Lithotamnium calcareum)

Parte utilizada

Toda a alga.

Constituintes

São algas fósseis, colhidas em rochas no fundo do mar, formadas pela precipitação superficial de carbonato de cálcio e carbonato de magnésio. Além de meros constituintes, os principais são: os minerais, cálcio, enxofre, magnésio, ferro, cloro, potássio, alumínio e silício.

Ação

Possui ação como suplemento alimentar mineral que ativa os processos enzimáticos e metabólicos.

Propriedades

Por seu alto índice de cálcio, magnésio e complemento com outros minerais, possui a propriedade de auxiliar na coagulação do sangue e na contração dos músculos; fortalece os glóbulos brancos, mantendo a hipoalcalinidade do sangue; dá proteção aos ossos e dentes, ativa o metabolismo dos glicídios e das gorduras; ativa a elasticidade dos músculos e das artérias, ativa os processos metabólicos e enzimáticos, atuando no bom funcionamento do neurotransmissor e contração muscular; protege e ativa as funções cardiovasculares e a circulação geral.

Indicações

Na carência de minerais nas gestantes, nutrizes, crianças e idosos, osteoporose, artrite, osteomalacia, raquitismo, fraturas, estresse, tensão nervosa e hipotermia.

Dosagens

Pó: 1,5g, uma vez ao dia, ou conforme a indicação.

15
Algas marinhas
(Macrocystis pyrifere)

Parte utilizada

Toda a alga.

Constituintes

São plantas que vivem na superfície do mar, constituídas de proteínas, aminoácidos, vitaminas A, B, C, D e K, e dos minerais, cálcio, cloretos, enxofre, ferro, fósforo, iodo, magnésio, potássio, silício, sódio e zinco, contêm pigmentos, carotenoides e ergosterol, sulfatos, aminoácidos aginatos, polissacarídeos e poligalactosídeos.

Ação

Estimula as glândulas endócrinas e do sistema circulatório. É um suplemento nutricional por excelência, que não engorda, controla a fome, é remineralizante, tônico ativador das funções cerebrais, emoliente e laxante suave.

Propriedades

Estimula as glândulas endócrinas e a respiração no hipotireoidismo e previne a fadiga, estresse e anemia.

Ativa as funções cerebrais, é remineralizante e promove equilíbrio a todo o organismo. É um complemento alimentar revigorante e proporciona um ótimo funcionamento do sistema nervoso periférico, do sistema cardiovascular e gastrintestinal.

Indicações

Distúrbios nervosos, circulatórios, respiratórios e problemas renais. Estimula o organismo, combate a fadiga no hipotireoidismo, é um suplemento alimentar, auxilia nos regimes de emagrecimento, funções gastrintestinais, problemas da pele, asma, bronquite, fraqueza e problemas urinários.

Dosagens

Uso interno: de 3 a 4g antes do almoço e do jantar.

Fitocosméticos: em xampus e loções, até 8% de extrato glicólico nos cremes para massagens, gel e cremes para celulite e loções hidratantes preparados em farmácia de manipulação.

16
Algodoeiro
(Gossypium herbaceum)

Parte utilizada

Flores, folhas, cascas e raízes.

Constituintes

É constituído de essências, betaína, tanino, celulose, proteínas, ácido pectínico, amido, ácido esteárico, ácido palmítico, gosipol, fenóis e matéria nitrogenada.

Ação

Hemostática, anticatarral, emoliente, digestiva, diurética, anti-inflamatória, antidiarreica, antidisentérica e expectorante; estimula a produção láctea com o extrato das sementes.

Propriedades

Suas maiores propriedades estão nas cascas e nas raízes, possuindo ações anti-helmínticas. Possuem um óleo que atua no intestino, favorecendo a digestão, e em uso externo alivia as dores de queimaduras e cura feridas. O chá da casca da raiz, em decocção ou em tintura, favorece na cura da disenteria crônica e diarreia. O chá das folhas é um tônico cardíaco, que auxilia no funcionamento normal das vias urinárias.

Indicações

Usa-se na cura da inflamação do útero e dos ovários, na amenorreia, dismenorreia, hemorragia pós-parto, expectoração de sangue ou escarros sanguíneos (hemoptise). Em todos estes problemas deve-se tomar o chá das folhas. Para ansiedade ou nervosismo, tome o chá das flores, assim como nas regras irregulares e dolorosas.

Contraindicação: grávidas não devem fazer uso do algodoeiro, pois ele é abortivo.

Dosagens

Chá: seja das flores, folhas, cascas ou raízes, deve ser fraco e no máximo três xícaras ao dia.

Tintura: deve-se obedecer a prescrição do profissional.

17
Alho
(Allium sativum)

Parte utilizada

Bulbo.

Constituintes

O alho é constituído de um heterosídeo sulfurado, alicina, aliina, dissulfeto de dietila, trissulfeto de aliina e ajoeno. Seu princípio ativo são as vitaminas, predominando a vitamina C com 17mg e mais vitaminas A, B1 e B2 e os sais minerais como o cálcio, enxofre, ferro, iodo, sódio e silício; ácido fosfórico livre, óxido dialildisulfeto e ajoeno.

Ação

Antibacteriano, analgésico, expectorante, febrífugo, antigripal, antisséptico pulmonar, antioxidante, antiplaquetário, tônico, hipoglicemiante, hipotensor, anti-infeccioso, hipocolesterolêmico, diminui a viscosidade do sangue, reduz os níveis plasmáticos de colesterol, prevenindo a formação de placas nas artérias; é anticoagulante, potencializa a energia do organismo, auxilia no tratamento da aterosclerose e suas sequelas no aparelho cardiovascular e circulação geral, e ainda dá proteção geral contra os radicais livres.

Propriedades

Seu princípio ativo de ação é a alicina e a aliina. Alicina é originada a partir da alinase e destrói os grupos teólicos essenciais à proliferação das bactérias, ou seja, a alinase possui propriedade bacteriostática e bactericida sobre as bactérias gram-positivas e gram-negativas. O alho tem propriedades que reduzem os níveis plasmáticos de colesterol LDL, prevenindo assim as doenças arteriais; é hipotensor, vasodilatador e sudorífero; estimula as funções respiratórias e é ótimo contra gripe, tosses, resfriados, rouquidão e demais problemas dos brônquios; combate areia e cálculos dos rins e da bexiga, a flatulência e a congestão alimentar; diminui as gorduras circulantes, aumentando o teor das lipoproteínas de alta densidade; diminui as taxas de colesterol total e triglicerídeos do sangue; é um remédio contra todas as infecções do organismo, elimina as toxinas e bactérias patogênicas que afetam a flora normal do intestino e é útil nas verminoses.

Indicações

Gripes, resfriados, afecções pulmonares, tosse, ronquidão, bronquite, asma, diabetes, hipertensão, verminoses, hiperlipidemias e hipercolesterolemia, modifica as secreções brônquicas, ajudando a desobstruir as vias aéreas, fluidificando as secreções respiratórias. Usa-se como vasodilatador que protege o sistema cardíaco, inibindo a formação de radicais livres.

Dosagens

Alimentação: usar nos alimentos e ingerir também junto com a refeição, dois a três dentes amassados e misturados no alimento; nunca cortar.

Infusão: pode-se usar dois a três dentes amassados, colocando em uma xícara de água fervente e tomar uma vez ao dia, por duas até três semanas e após usar no alimento. No caso de colesterol alto, usar 4g ao dia até baixar as taxas ao normal.

Óleo: pode-se usar 0,1ml três vezes ao dia, ou seja, até 100mg por dia.

18
Amor-perfeito
(Viola tricolor)

Parte utilizada

Folhas e flores.

Constituintes

Flor bela de jardim e erva medicinal, contém tanino, glicosídeos, alcaloides, sais minerais e ácidos, vitamina C, ácido salicílico, saponinas e mucilagem. Com flores amarelas e brancas.

Ação

Purificadora do sangue, laxativa, tem ação sobre as glândulas e vasos linfáticos, no mau funcionamento dos rins e retenção de líquido.

Propriedades

Laxante, diurético, anti-inflamatório, antirreumático, combate as afecções respiratórias, cansaço, debilidade nervosa e doenças cardíacas; estimulante do metabolismo, depurativo do sangue, auxilia na cura de moléstia da pele, impurezas do sangue, mau funcionamento dos rins, retenção de líquidos (edema), afecções das vias urinárias agudas ou crônicas e atua favoravelmente sobre os vasos linfáticos.

Indicações

Indicado no tratamento do impetigo do adulto. Seu chá quente com mel de abelha é ótimo contra gripes e resfriados. O chá frio é ótimo contra reumatismo articular, eczema, icterícia, dor nos pés e cabeça, afecções das vias urinárias agudas e crônicas.

Contraindicação: uso interno para crianças.

Dosagens

Infusão: 5 a 10g das folhas ou flores para uma xícara de água. Tomar três a quatro xícaras ao dia.

Uso externo: compressas do chá para acne, eczema, psoríase, herpes e urticária.

19
Anis
(Pimpinella anisum)

Parte utilizada

Folhas e flores.

Constituintes

É constituído de óleo volátil, acetaldeído; contém enxofre, glicerídeos, terpenos, ácido graxo, palmítico, ácido esteárico, ácido oleico, goma, açúcares, aromáticos, anetol e cumarinas. Constitui uma semente oleaginosa e folhas arredondadas e flores semelhantes ao funcho.

Ação

Carminativa, diurética, antisséptica, expectorante, antiespasmódica, estimulante geral das glândulas digestivas, estomáquica e sedativa.

Propriedades

Cardiovascular (angina), protetor do coração e dos pulmões. Estimula a produção do leite na nutriz, previne desmaio e estimula o cérebro, facilitando o trabalho intelectual e o sono normal; é ótimo na dismenorreia, no cansaço fácil, nos problemas da bexiga, tomando um chá ao deitar.

Indicações

Cura enxaquecas de origem digestiva, combate a tosse e catarros do asmático, cólicas menstruais e soluço; previne náuseas, vômitos da gestante, cólicas infantis, favorece a secreção salivar e gástrica, auxilia o peristaltismo e alivia as flatulências.

Dosagens

Chá: das folhas ou flores nas principais refeições.

20
Anis-estrelado
(Illicium verum)

Parte utilizada

Fruto.

Constituintes

O anis-estrelado, como é mais conhecido entre nós, é diferente do outro desde a sua planta, pois este é constituído de uma árvore de folhas perenes e o outro é uma erva arucal. Seu sabor é aromático e doce, é mais forte e picante que o comum. Seus frutos, no entanto, têm a mesma composição e seu sabor é parecido, além de poder ser usado da mesma maneira. Seus frutos são compostos por cápsulas que alojam sementes avermelhadas, têm forma de estrela, flores pequenas e amareladas, suas sementes devem ser guardadas em recipientes herméticos, se possível de cristal.

Ação

Carminativa, antiespasmódica, estimulante, diurética, alivia náuseas, vômitos, flatulências e problemas de garganta.

Propriedades

Vasodilatadora, cardiotônica, antifúngica, antiespasmódica, estimulante das funções gástricas e intestinais, em consequência o peristaltismo digestivo. Atua na bronquite e tosses, cansaço e problemas da bexiga. Os chineses usam para condimentar assados e preparar medicamentos diversos e há quem prepare licor com este produto.

Indicações

Uso interno: (chá) na dispepsia, nervosismo, dismenorreia, cólicas infantis, espasmos brônquicos, enxaquecas de origem digestivas e problemas cardiovasculares.

Dosagens

Infusão: uma colher de café para uma xícara de água do anis, duas a três vezes ao dia. Tomar o chá frio.

21
Arnica
(Arnica montana)

Parte utilizada

A planta toda.

Constituintes

Óleo essencial, triterpenos: ardinol, pradiol e arnisterina. Princípio amargo, lactonas sesquiterpênicas, flavonoides, isoquercitina, luteolina, glicosídeo, astragalina, tanino, resinas, cumarinas, ceras, carotenoides, insulena, arnicina. Princípio tóxico, alcaloide, arnicaína, fitosterina, ácidos orgânicos (clorogênico, cafeico), poliacetileno (pentaim monoeno), tanino, quercitina, azeite volátil e lactonas.

Ação

Antisséptico, anti-inflamatório, analgésico, tônico e estimulante do sistema nervoso. Bloqueia a inflamação causada por traumatismo, incrementa a reabsorção e ação das células responsáveis pela destruição dos fragmentos de origem necrótica.

Propriedades

Contém um azeite volátil, um princípio amargo e tanino, e é uma planta venenosa para uso interno. Os flavonoides potencializam a atividade dos terpenos, estabilizando a membrana celular. Bloqueia a inflamação causada por traumatismo, diminui a formação de exsudato e a atividade enzimática no processo inflamatório e permite a distribuição do tecido sujeito a inflamações.

Indicações

Uso externo: em contusões, machucaduras, traumatismos, distensões musculares, dores reumáticas, gota, furúnculo e afecção bucal. Como fitocosmético, estimula o crescimento capilar e combate o excesso de oleosidade dos cabelos.

Uso interno: usa-se o chá só das flores, com atividade anti-inflamatória, as lactonas sendo responsáveis por estes efeitos. Seu uso pode ser como homeopatia, mas só com prescrição médica, porque é uma planta tóxica apesar de, em tempos remotos, ter sido conhecida e utilizada como planta curativa contra doenças das vias urinárias, paralisia, coqueluche, disenteria, hemorragia, reumatismo e areia nos rins.

Dosagens

Infusão: 2 a 4g da flor para uma xícara de água, duas a três vezes ao dia.

Tintura: pode ser obtida por maceração da planta em álcool, para uso externo. É usada em gargarejo, cataplasma, pomada, xampu, sabonetes, gel, extratos e tintura.

22
Aroeira-da-praia
(Schinus terebinthifolia)

Parte utilizada

Cascas do caule.

Constituintes

Cultivada a partir das sementes, pode ser plantada em canteiros para produção de brotos. Quando estes chegarem à altura de meio a um metro, poderão ser substituídos pelas cascas da árvore e utilizar como tal.

Ação

Exclusivamente tópica, em caso de ulcerase e gangrenas. Usa-se em compressas locais, como úlceras bucais, gengivites e faringites, fazendo-se gargarejo ou bochechos.

Propriedades

Anti-hemorrágica, anti-inflamatória, anti-infecciosa, cicatrizante, hemostática e adstringente. Atua contra hemorroidas inflamadas com banhos de acento, tratamento de inflamações em geral, como feridas de difícil cicatrização, leucorreia com corrimento vaginal e todos os problemas de pele.

Indicações

Na vaginite, hemorroidas, no tratamento de ferimentos infeccionados ou não, na pele ou especialmente nas mucosas, inflamação da garganta e das gengivas.

Dosagens

Decocção e só uso externo: para a garganta e gengivas, fazer gargarejo; para hemorroidas, usar compressas locais ou banhos de acento ao deitar; para vaginite, após a higiene local, colocar um absorvente interno tipo OB junto a 5 a 10ml do chá para agir durante a noite. Usar, em todos os casos, enquanto houver o problema.

23
Arruda
(Ruta graveolens)

Parte utilizada

Folhas.

Constituintes

É um arbusto cultivado em todo o mundo. Contém cheiro forte, constituinte de um óleo essencial composto de metileno, milcarbino, metilheptilcetonas, alcoóis, fenóis, ésteres, compostos flavônicos, como a rutina, que aumenta a resistência dos capilares sanguíneos.

Ação

Sudorífera, emenagoga, bactericida e calmante nas paralisias nevrálgicas e digestivas. Atua contra a flatulência, exerce uma ação de excitação motora sobre o útero e auxilia na cura da menorragia, na dismenorreia e na menstruação difícil e dolorosa.

Propriedades

Tônico valioso, estimulante, aromático, antiespasmódico, carminativo, abortivo, sudorífero, antirreumático, anti-hemorrágico, diaforético e vermífugo. Aumenta a resistência dos vasos sanguíneos, prevenindo varizes e trombos, mas, no entanto, deve-se ter cautela, pois pode causar alergia e queimadura quando colocada na pele em forma de compressas ou banhos com o chá nos membros inferiores e após ser exposta ao sol.

Indicações

Tranquilizante, nas dores de cabeça, estômago e dentes; alivia o cansaço e a irritação nervosa, cólicas menstruais, cura reumatismo, depressões, gases estomacais, incontinência urinária, suspensão da menstruação, dores no baixo ventre e flatulência.

Contraindicação: a gestantes.

Dosagens

Maceração: 2 a 4g das folhas verdes (fraco), para uma xícara de água fria, duas vezes ao dia. Usa-se para problemas dos olhos: lavar e fazer compressas com o chá.

24
Artemísia
(Artemisia vulgaris)

Parte utilizada

Folhas e raízes.

Constituintes

É constituído por valiosa substância amarga, um azeite volátil e um princípio ativo "santonina". É um tônico estimulante, fortificante e desintoxicante. O chá amargo, tanto das folhas como das raízes, contém um óleo essencial rico em tuliona que, além de medicinal, pode ser usada como repelente de traças que atacam as roupas e livros.

Ação

Tem ação sobre o fígado e vesícula biliar, previne cálculos biliares e da bexiga e atua na insuficiência urinária, flatulência, histeria, epilepsia, distúrbios encefálicos caracterizados por movimentos musculares anormais espontâneos e sistema nervoso.

Propriedades

Abortiva, carminativa, antianêmico, antiepilético, vermífuga, emenagoga, antirreumática e antidiabética. Atua nas contrações uterinas, promove uma higienização e uma ótima ação estimulante no útero, facilitando a normalização da menstruação, alivia as cólicas da menstruação difícil e dolorosa, assim como atua nos problemas dos ovários. Antiespasmódica, atua na fraqueza do estômago, na pirose (azia), na flatulência e na anemia.

Indicações

Facilita o parto, provoca menstruação suspensa, combate a verminose (com chá das folhas), atua na diabetes, menstruação difícil e dolorosa, na estomatite (gargarejo), e na queda de cabelo (como loção capilar).

Contraindicação: gestantes e nutrizes não podem usar o chá.

Dosagens

Maceração: 2 a 4g das folhas em uma xícara de água fria, até três vezes ao dia. Para a garganta, fazer bochechos e tomar uma taça do chá fraco.

25
Aveia
(Avena sativa)

Parte utilizada

Sementes.

Constituintes

Contém amido, substâncias nitrogenadas, enzimas, sais minerais, goma, pectina, lecitina, açúcares, alcaloides, albumina, hidrato de carbono, proteína, aminoácidos, lipídios, pró-vitamina A, vitaminas B, E e K, minerais: cálcio, cobalto, cobre, boro, ferro, iodo, manganês, silício e zinco, ácido linoleico e um composto psicoativo capaz de combater o vício da nicotina.

Ação

Emoliente, calmante, hipoglicemiante, laxante, diurética, expectorante, antiesclerosante, refrescante, desintoxicante, fortificante, antidepressiva, nutriente, antioxidante, anti-hemorroida, sedativa e excitante do sistema nervoso central.

Propriedades

Estimulante de energia física e psíquica, seus grãos são ricos em proteínas, hidrato de carbono, cálcio, ferro e gorduras poli-insaturadas, que atuam na formação do sangue e ossos e previnem a arteriosclerose. Suas fibras atuam regulando o funcionamento do intestino, facilitando uma ótima digestão e reduzindo o teor de gordura. Suas mucilagens possuem propriedade anti-inflamatória das mucosas do sistema digestivo, previnem e são ótimas contra a diarreia, estimulam o sistema nervoso central e o sistema neurovegetativo.

Indicações

Atua no envelhecimento celular, reumatismo, na diarreia, disenteria, hemorroidas, excitante do sistema nervoso central, na perda do apetite, depressões, desnutrição, aterosclerose, diabetes e na ansiedade. Facilita a digestão, regula o bom funcionamento do intestino e sua mucilagem elimina qualquer inflamação das mucosas intestinais ou gástricas. Reduz o açúcar e as gorduras do sangue, elimina os estoques de sais biliares no trato intestinal, que de outra forma se transformaria em colesterol LDL. Elimina o ácido úrico e é ótimo na faringite, bronquite, laringite, insônia, convalescença, fraqueza orgânica, nevralgias, afecções urinárias, gota e artrite. Previne a cárie dentária e a anemia. Pode-se usar aveia grossa ou cozinhar o grão, que além de alimento é remédio para o estômago, enjoo, azia, constipação intestinal e fraqueza geral.

Dosagens

Chá: Para usar os flocos, deve-se cozinhar uma ou duas colheres de sopa para um litro de água, de modo que fique com uma consistência rala. Tomar como chá uma xícara três vezes ao dia. Mães que amamentam ou gestantes, colocar em um copo de água fria duas colheres de aveia com uma colher de açúcar, deixar dissolver e tomar todo o conteúdo de uma só vez, que, além de aumentar o leite, é ótimo para a pele da criança. Para crianças que não são amamentadas no seio, pode-se dar na mamadeira o cozimento da farinha de aveia rala e acrescentar meio a meio de leite fervido com pouco açúcar. Mas a aveia é um fabuloso alimento tanto como mingaus ou mistura na confecção de biscoitos ou pão.

26
Avenca
(Adiantum capillus-veneris)

Parte utilizada

Folhas.

Constituintes

Compostos fenólicos, carboidratos, mucilagens, tanino, açúcares, ácido gálico, capilarina, fenóis, óleo essencial e princípio amargo.

Ação

Diurética, adstringente, tônica, emoliente, diaforética, emenagoga, anti-inflamatória, expectorante, anticaspa e contra queda de cabelo.

Propriedades

Aromática, possui ação protetora sobre peles sensíveis e irritadas. Por ação das mucilagens que a protegem, atua sobre as mucosas inflamadas, impedindo atividades de substâncias irritantes. É muito empregada nas doenças respiratórias e, por seu princípio amargo, é excelente estimulante da secreção biliar e gástrica.

Indicações

Atua na insuficiência hepática, na má digestão, em todos os problemas respiratórios – como gripe, tosse, rouquidão, asma, bronquite e laringite –, problemas urinários, cólicas e problemas da bexiga. Favorece a digestão, aumenta o apetite na anorexia, acalma as dores reumáticas e é um laxante suave, eficaz na dismenorreia e amenorreia.

Dosagens

Infusão: com folhas frescas, de 15 a 30g para um litro de água, tomar três xícaras ao dia; com as folhas secas, de 50 a 60g.

Fitocosméticos: para queda de cabelo e caspa, use-se a loção capilar glicólica a 3% e também o xampu. Pode também lavar o cabelo com o chá das folhas, friccionando bem.

27
Babosa
(Aloe vera)

Parte utilizada

Gel das folhas.

Constituintes

Seu elemento principal, a aloina barbaloina ou aloe-modineantrona glicosídeo, presente entre 5 a 25%; além de emodina, elainase, ácido crisofânico, todas essências, quercitina, vitaminas A, B1, B5, B6, B12, C e E, sais minerais, cálcio, cloro, manganês, potássio, sódio, alumínio, enzima proteolítica, celulase, catalase, amilase, oxidase, aloinose, carboxipeptidase, saponinas, glicosídeos, óleos voláteis e resinas.

Ação

Purgativa drástica, vermífuga, abortiva, bactericida, bacteriostática, anti-inflamatória, fungicida, cicatrizante, antitóxica, emoliente, umectante, coagulante, antisséptica, antibiótica, desintoxicante, regeneradora celular, lubrificante, tônico estomáquico, calmante, emenagoga, colerética, energética, nutritivo osmótico e regenerador celular através dos hormônios que aceleram o crescimento de novas células. Possui elementos vitais na osmose celular, como o cálcio, que mantém o equilíbrio interno e externo. Através da quercitina, renova as células danificadas da pele, transformando-as em novas fórmulas, e, como coagulante, atua ajudando na coagulação, formando uma rede de fibras que seguram as plaquetas do sangue. Protege as lesões, através do cálcio, potássio e celulose. Os ácidos essenciais formam a estrutura das proteínas, que são a base dos tecidos que atuam no sistema nervoso central e periférico. Através das vitaminas, principalmente a C, fortalece o sistema imunológico e fortifica os capilares dos sistemas cardiovasculares e circulatórios, sistema nervoso central e sistema nervoso periférico.

Propriedades

As formas oxidadas antraquinonas são menos ativas do que as reduzidas (antronas e antranóis); sendo que as derivadas antracênicas são laxantes, que agem no nível do cólon excluindo completamente a possibilidade de haver um efeito central, as antraquinonas agem essencialmente sobre as células normais, reabsorvendo uma grande parte de água do conteúdo do cólon. Sob influência delas, os esteroides secretam uma grande quantidade de água e eletrólitos e paralelamente a absorção de sódio e glicose é fortemente reduzida. A babosa possui uma notável capacidade de penetrar até os planos mais profundos da pele; inibe e bloqueia as fibras nervosas e reduz a dor. Possui poderosa forma anti-inflamatória e ação similar à cortisona. Atua na bursite, na artrite, na picada de insetos, em outros machucados e dores em geral, elimina bactérias como estafilococos e salmonelas e estimula as funções hepáticas e renais.

Indicações

Uso interno: é usada contra problemas hepáticos, renais, gastrintestinais, gastrite e inflamação em geral. É ótima na constipação crônica, psoríase, coceiras, eczemas, icterícia, erisipela, dor de cabeça e também tem ação cicatrizante.

Obs.: o uso interno deve ser preparado em laboratórios, pois não se deve simplesmente apanhar uma folha de babosa e usá-la, uma vez que, não sabendo prepará-la, ela torna-se tóxica. Devem ser evitadas altas doses e longo período de tratamento ininterrupto por via oral, sendo recomendado usar-se 10 dias e interromper-se de 10 a 15 dias, continuando o tratamento se houver necessidade. As dosagens são orientadas pelo profissional.

Uso externo: nas queimaduras de qualquer natureza, inclusive do sol, que poderão ser retiradas na hora abrindo a folha da babosa e passando o gel direto nas queimaduras. O creme da aloe vera é ótimo contra dores reumáticas, artrite, gota, bursite, artrose, pele seca, alergia e picadas de insetos.

Efeitos colaterais e precauções: evitar uso por via oral durante a gravidez, pois ela estimula as contrações uterinas; durante o aleitamento também, pois seu efeito passa para o leite causando efeito laxativo na criança. Evitar durante a menstruação, em caso de varizes, hemorroidas (por ser coagulante), afecções renais, eterocolites, prostatite, cistite e disenterias. Proibido para crianças por via oral. Evite superdosagens.

28
Bardana
(Arctium lappa)

Parte utilizada

Folhas, raízes e sementes.

Constituintes

Constituinte de ácido graxo, ácidos orgânicos, mucilagem, carbonatos, óleo essencial arctiol, tanino, resina, sais minerais, glicosídeos, polifenóis, nitrato de potássio, fitosteróis e composto antibiótico tipo penicilina.

Ação

Bactericida, emoliente, colerética, depurativa, hipoglicemiante, adstringente, fungicida, sudorífera, anti-inflamatória, antisséptica, cicatrizante, calmante, antissifilítica, antisseborreica, purificadora do sangue, estimulante do couro cabeludo, atua nas dermatites descamantes e é fungicida.

Propriedades

Por sua propriedade antibiótica, atua sobre as bactérias gram-positivas e gram-negativas, grânulos, estreptococos, estafilococos, nas afecções cutâneas, no herpes simples; por sua propriedade fungicida, atua com eficiência nas afecções renais, como na nefropatia e todas as inflamações das vias urinárias, cólicas renais, nas doenças genitais, reumáticas, distúrbios digestivos, doenças do fígado e aumenta a secreção hepática biliar.

Indicações

Na dispepsia, gastrites, constipação intestinal, desordens do coração e como depurativo do sangue. Possui capacidade de neutralizar venenos, atua na diabetes, reumatismo, acne, furúnculos, abscessos purulentos, eczemas, gota, na hidropisia, bronquite, distúrbios digestivos, cólicas renais, nefropatia e todos os distúrbios geniturinários e em todos os casos de inflamações.

Dosagens

Decocção: da raiz, 40g em um litro de água. Tomar uma xícara, duas a três vezes ao dia.

Infusão: 4 a 6g por xícara de água três vezes ao dia.

Tintura: usar externamente em compressas locais.

Fitocosméticos: em xampus, cremes, loções, extrato glicólico e tônico capilar.

29
Berinjela
(Solanum melongena)

Parte utilizada

Fruto.

Constituintes

Flavonoides, lipídios, vitaminas, rica em proteínas, fibras, goma, mucilagem, aminoácidos e sais minerais, ácidos graxos essenciais, saponina, solamargina, solasonina e hidrólise de betasistosterol, alcaloides, vitaminas B1, B2 e C.

Ação

Carminativa, estomáquica, diurética, colerética, colagoga, estimulante do apetite quando há necessidade ou carência; atua com grande eficiência na hiperlipidemia e no metabolismo do colesterol, através do aumento da eliminação de ácidos biliares, aumentando a degradação das gorduras do sangue e do fígado.

Propriedades

Antioxidante, remineralizante, alcalinizante, calmante, depurativo do sangue, diurético, laxante suave, estimulante, cardiotônico natural, acelera o metabolismo das gorduras, previne as altas taxas de colesteróis totais e LDL, problemas cardiovasculares, auxilia no tratamento da obesidade, problemas renais, bexiga, uretra e anuria.

Indicações

Insônia, aterosclerose, no caso de alta taxa de colesterol no sangue, falta de apetite sem a devida causa, dieta para cardíacos, anuria, problemas gástricos, estômago, baço, fígado, intestino, artrite, reumatismo e inflamações gerais da pele.

Dosagens

Para diminuir o colesterol e o triglicerídeo, bater no liquidificador um copo de 200ml de água com quantidade suficiente para dar um bom suco, bater com a casca, coar e tomar em jejum por um mês, parar um ou dois dias e voltar o esquema, até sanar o problema. Há outra maneira de combater o colesterol alto: ralar três a quatro colheres da fruta com a casca e misturar com o alimento diariamente, pelo menos um mês. O cozimento perde o valor medicinal, mas, se quiser fazer uso como alimento, cozinhe em pouca água ou no vapor.

30
Bétula
(Betula alba)

Parte utilizada

Caule, folhas, gemas e seiva.

Constituintes

Flavonoides, tanino, ácidos graxos, saponina, ácidos orgânicos, resinas, salicilato de metila, açúcar invertido, óleo essencial, betulalbina, betulasídeo, fitosterina, terpenos, proteínas e sais minerais, hiperosídeo e digalactosídeo, triterpenos, sesquiterpenos, ácido betulínico e vitamina C.

Ação

Diurética, adstringente, cicatrizante, antisséptica, laxante, estimulante, germicida, balsâmica, tônica, digestiva, anticaspa, sudorífera, colerética, depurativa e antidermatose.

Propriedades

Tônico capilar, atua nas dores articulares e musculares, germicida, diurético, elimina as toxinas do organismo pela urina, é eficiente no tratamento da gota e da celulite, pelo uso de seu óleo essencial promove melhor atividade celular, estimulando a circulação periférica, com o uso local elimina as impurezas do interior das células, elimina a oleosidade e as bactérias patogênicas, o óleo tonifica o couro cabeludo, estimulando a circulação e o crescimento capilar.

Indicações

Insuficiência do aparelho urinário, infecções urinárias, litíase renal, gota, reumatismo, psoríase, celulite, edema, oligúria, artrite, hipercolesterolemia, elimina a caspa e seborreia.

Dosagens

Infusão: 10 a 15g em um litro de água. Tomar uma xícara três vezes ao dia.

Decocção: 5g da casca em uma xícara de água após as refeições.

Fitocosméticos: xampus, loções capilares, cremes, loção e gel.

31
Boldo-do-chile
(Peumus boldus)

Parte utilizada

Folhas.

Constituintes

Este chá é constituído de óleos voláteis até 2%, tanino, flavonoides como peumoside e boldoside, eucaliptol, cinelo, eugenol, pineno; 0,1 a 0,5 % de alcaloides, entre eles a boldina, um de seus princípios ativos, que tem a função de aumentar o fluxo da bílis gradualmente, assim como os sólidos totais na bílis excretada. Sua ação colerética também tem a ver com mais vinte outros alcaloides derivados da aporfina, 0,3 % de boldoglucina e glicosídeos.

Ação

Sua ação colerética parece ser devida aos derivados flavônicos, os glicosídeos flavônicos e a mistura de suas gliconas, obtidas por hidrólise. Apresentam acentuadas atividades espasmolíticas. O boldo é um tônico, estimulante digestivo, alivia a secreção salivar, o suco gástrico e a hiperacidez gástrica. São incontáveis suas virtudes sobre o aparelho digestivo, é tônico excitante das funções do fígado e atua na hepatite.

Propriedades

Nas afecções e cálculos do fígado e vesícula. Amargo, aromático, com propriedades estimulantes e tônicas, ativa a secreção salivar e do suco gástrico; utilizado em casos de dispepsias, gases intestinais e prisão de ventre. O extrato das folhas apresenta acentuada atividade colerética e colagoga, tendo se mostrado efetiva na hepatite crônica e aguda. Sua ação colagoga é atribuída à boldina e à essência. A boldina produz um aumento gradual no fluxo da bílis, assim como um aumento dos sólidos totais na bílis excretada. A ação protetora sobre as células hepáticas foi demonstrada pela diminuição dos danos causados à membrana celular, por agentes químicos.

Indicações

Na cura da dispepsia, na hiperacidez gástrica, inapetência, digestão difícil, na litíase biliar, cólicas hepáticas, prisão de ventre, insônia, tonturas, cólicas e gases intestinais e fraqueza orgânica; ajuda no tratamento da gonorreia.

Dosagens

Infusão: 2g de folhas por xícara várias vezes ao dia, se for necessário. Não usar doses excessivas.

32
Borragem
(Borago officinalis)

Parte utilizada

Folhas, flores, caule, óleo das sementes.

Constituintes

É constituído de um princípio ativo, vitaminas e minerais, contém alcaloides, boldina, lourotetama, isoboldina, mucilagem, tanino, ácido silícico solúvel, ácido orgânico, saponina, óleo essencial, vitamina C, açúcar, nitrato de potássio, resinas e sais minerais. O óleo das sementes contém ácido palmítico, esteárico, palmitoleico, oleico, linoleico, linolênico, eicosanoico e outros.

Ação

Adstringente, anti-inflamatória, emoliente, diurética, expectorante, laxante suave, sudorífera, diaforética, tônica, galactogênica, ácido graxo polissaturado; o óleo é preventivo à desnutrição.

Propriedades

Terapêutica, através do chá das flores, atua contra catarros respiratórios, garganta, brônquios, gripe, estado febril, doenças pulmonares, doenças do fígado e da vesícula biliar, hidropisia, afecções do coração, palpitação nervosa, convalescença e ajuda na cura da varíola, contém os precursores naturais dos hormônios da glândula adrenal.

Indicações

As sementes secas e moídas podem ser misturadas com o alimento ou no suco, pois aumenta o leite materno. A parte mais usada para a saúde são as folhas, nas afecções das vias respiratórias, eczemas, psoríase, envelhecimento precoce, cirrose hepática, hiperatividade infantil, depressões, palpitações e nervosismo; pode-se usar o óleo também.

Dosagens

Infusão: Uso interno, folhas e caule, 40g por litro; aguardar dez a quinze minutos. Flores, uma colher de sopa por xícara, para bronquite, pneumonia e problemas da pele, três vezes ao dia.

Tintura: 1 a 4ml, três vezes ao dia, na água.

Fitocosméticos: em óleos e xampus para o cabelo seco, cremes e loções para peles com problemas.

33
Cajueiro
(Anacardium occidentale)

Parte utilizada

Folhas e sementes.

Constituintes

Princípio ativo epicatequina, acajucina, goma, resina, tanino e matéria corante. O tegumento da semente desta árvore é adstringente, antidiarreico e um tônico estimulante na debilidade e fraqueza geral.

Ação

Anti-hemorrágica, antidiabética e antidiarreica.

Propriedades

Atua na debilidade dos convalescentes, na impotência masculina, na fraqueza geral da criança, do adolescente e do idoso e é ótimo para o fortalecimento do cérebro do estudante e demais pessoas que trabalham muito com a memória.

Indicações

Na diabetes, diarreias, fraqueza geral, impotência, hemorragia, leucorreia, aftas, laringite, faringite e na convalescença.

Contraindicação: na gravidez e para quem faz uso de anticoagulante.

Dosagens

Uso interno: 3 a 4g da folha infusa para uma xícara de água, duas a três vezes ao dia.

Uso externo: decoto em gargarejo, em irritações e demais problemas de garganta. Tintura mãe e também as sementes como vermífugo, conforme a indicação. Usa-se o óleo da polpa nas doenças de pele. Como antisséptico, usa-se compressas como cicatrizante nas lesões externas.

34
Calêndula
(Calendula officinalis)

Parte utilizada
Folhas e flores.

Constituintes
Ésteres colesterínicos, ácidos orgânicos, resinas, mucilagens, óleos essenciais, contendo: carotenoides (caroteno, calendulina e licopina), flavocromo, aurocromo, flavoxantina, mutocromo, crisantimaxantina e xantofila; flavonoides, traços de ácido salicílico, princípio amargo, calendina, monoterpenos, diterpenos e triterpenos, vitaminas do complexo B, cálcio, silício, saponinas, ácido aleanoico, cromo, quercitina, matérias corantes, glicosídeo, narcisina, rutina e licopeno.

Ação
Calmante, sedativa, antialérgica, revitalizante, refrescante, anti-inflamatória, cicatrizante, sudorífera, excitante, antiespasmódica, antisséptica, colagoga, emenagoga, vulnerária, bactericida e antiflogística.

Propriedades

Tonificante, reguladora do ciclo menstrual, antitumoral, aumenta a resistência ou força dos vasos sanguíneos. Antiviral, cicatrizante, bactericida, age contra a acne e feridas e é estimulante da granulocitose e fagocitose. Atua no sistema digestivo, melhorando e até proporcionando a cura da gastrite e da úlcera gastroduodenal. Regenera os tecidos danificados, favorece a produção da bílis, estimulante hepático, atua nas cólicas menstruais e no espasmo gastrointestinal.

Indicações

Em qualquer queimadura, tanto suave como do sol, e escaras. É ótima para peles sensíveis e delicadas, feridas purulentas e de difícil cicatrização, cólicas menstruais, artrite, doenças nervosas, secreção biliar irregular, espasmos gastrointestinais, gripes, escorbuto, icterícia, inflamações dos olhos, eczemas, impetigo, assaduras das crianças, extração de dente, verrugas, dor de dente (faz-se bochechos) e age contra os raios ultravioletas e o beta.

Dosagens

Infusão: 3 a 5g de folhas e flores picadas para uma xícara de água. Tomar de duas a três vezes ao dia. Para gripes, tomar o chá quente com mel ao deitar.

Uso externo: cremes, loções, pomadas, sabonetes e xampu.

35
Camomila
(Matricaria chamomilla; Chamomilla recutita)

Parte utilizada

Flores.

Constituintes

Contém flavonoides, camazuleno, cinarina, mucilagem, colina, terpenos, cumarinas, motricina, pró-camazuleno, óleo essencial composto de sesquiterpenos, cíclicos e glucosyl, ácidos orgânicos como ácido antêmico, antesterol, apigenina, ácido tônico, óleos voláteis, ácidos graxos, aminoácidos, vitaminas A, B e C, cálcio, ferro, potássio, magnésio, manganês, sais minerais, óleo essencial, inositol, apigenol e substância amarga.

Ação

Antiespasmódica, antidiarreica, analgésica, antialérgica, antiflogística (agente que suprime ou reduz a inflamação ou febre), antimicótica, emoliente, anti-inflamatória, refrescante, carminativa, sudorífera, calmante, sedativa, antinevrálgica, tônica, diurética, descongestionante, diaforética (que aumenta a transpiração e medicamento que produz diaforese), antibacteriana e espasmolítica.

Propriedades

Estimulante e tônica, indicada na dispepsia, perturbações estomacais em geral, na diarreia, náuseas, inflamações das vias urinárias, nas regras dolorosas, indigestões, gases e debilidades do estômago. É ótimo na falta de apetite, cólicas, histerias, contra vermes intestinais, doenças do útero e dos ovários. Possui propriedade antimicótica e protetora de úlceras. A atividade terapêutica da camomila é determinada tanto pelos princípios ativos lipotróficos (solúveis em lipídios ou alcoóis) quanto pelos hidrofílicos (solúveis em água). A atividade predominante do extrato aquoso é espasmódica, enquanto o extrato alcoólico apresenta uma atividade antiflogística. O camazuleno possui reconhecida atividade anti-inflamatória, que é reforçada pela presença de matricina e absabolol.

Indicações

Indicado para o sistema digestivo, dor de cabeça, de ouvido, em caso de inflamações agudas ou crônicas da mucosa gastrointestinal e ativa na colite e cólicas biliares. Auxilia na reconstrução da flora bacteriana normal, nevralgia facial, afecção catarral, dispepsia, reumatismo, dismenorreia, metrorragia, convulsões, retenção de gases, irritação das crianças impertinentes, na dentição, sensação de odor e na planta dos pés, principalmente à noite.

Contraindicações: evitar o contato com os olhos, pela presença de óleos essenciais, pode desenvolver dermatite de contato ou fotodermatite em pessoas alérgicas; não só a esta como a outras plantas da família asteraceda, devendo ser respeitadas as doses recomendadas. Em caso de superdosagem, pode causar náuseas, excitação nervosa e insônia.

Dosagens

Infusão: 2 a 4g em uma xícara de água, três vezes ao dia, entre as refeições.

36
Canela
(Canela-do-ceilão – Cinnamomum zeylanicum)

Parte utilizada

Córtex.

Constituintes

Princípios ativos: aldeídos, tanino, goma, resina, óleo essencial, mucilagem, vanilina, eugenol, amido, sacarose, furfurol, aldeído benzênico, metilacetona, pineno, aldeído cuminico, cimeno, felandreno, oxalato de cálcio e açúcares.

Ação

Estimulante aromático, tônico digestivo, antisséptico, emenagoga, carminativa, antiespasmódico, eupéptica, anticoagulante brando e sudorífero, bactericida e bactereostático.

Propriedades

Valioso auxiliar no tratamento digestivo, combate a atonia gástrica, dispepsia e regras irregulares. Estimulante cardíaco e circulatório, alivia as dores da gota, artrite, reumatismo crônico e subagudo. Ajuda a eliminar os metais pesados do organismo, atua em todas as moléstias da pele e forte estimulante da atividade da insulina.

Indicações

Dispepsia, digestões lentas, flatulências, infecções intestinais e urinárias, diarreia, tosse, bronquite, afecções, enjoos, icterícia, hipotensão e diabetes II. Elimina os gases intestinais, alivia as dores do baixo-ventre e atua na menstruação escassa. A gestante não deve ingerir chá quente e forte, para evitar aborto.

Contraindicação: na gestação e lactação.

Dosagens

Pó: 1g, três vezes ao dia.

Infusão ou decocção: 50 a 100ml de água.

37
Canela-sassafrás
(Sassafras officinalis; Laurus sassafras)

Parte utilizada

Raízes.

Constituintes

Contém óleo volátil, mucilagem, resina, goma, tanino, oxalato de cálcio, safrol, pineno, eugenol, aldeído, safrena e selandreno.

Ação

Estimulante, anticoagulante, antiespasmódica, aromática, bactericida, emenagoga, sudorífera, digestiva, tônica, estimula a atividade da insulina na diabetes mellito.

Propriedades

Estimulante do sistema respiratório em geral, atua no sistema cardiovascular e é antissifilítico. Atua na hipotensão, melhora a atonia gástrica e é ótimo remédio contra o reumatismo crônico e subagudo, nas infecções intestinais e urinárias.

Indicações

Melhora os problemas internos, regras irregulares, febres, icterícia, hemoptise, vômitos e afecções catarrais. Dá alívio às dores reumáticas e elimina a dispepsia, a digestão lenta e a flatulência. Elimina os metais pesados do organismo e atua em todas as moléstias da pele.

Contraindicação: na gravidez e lactação.

Dosagens

Infusão: 2 a 4g da raiz, por 10 minutos, em uma xícara de água. Tomar até três vezes ao dia. Para sífilis, usa-se o chá quente; xarope, 20 a 80ml/dia e o óleo para massagens nas dores reumáticas.

38
Capim-limão
(Cymbopogon citratus)

Parte utilizada

Folhas.

Constituintes

Óleo essencial, contendo citral e seus isômeros geranial e nerol; vários aldeídos, como citronela, isovaleraldeído e decilaldeído, cenonas; alcoóis, como geraniol, metil heptanol, farnesol; e terpenos, como mirceno. Nas partes aéreas destacam-se flavonoides, substâncias alcaloídicas, saponinas esterólicas, beta-sitosterol, n-hexacosanol e n-triacontanol, triterpenoides isolados da cera que recobre as folhas, cimbopogonol e cimbopogona.

Ação

Excitante gástrico, sedativa, carminativa, emenagoga, analgésica, antitérmica e antibacteriana, pode ser usado diariamente, é calmante, antiespasmódico, antianêmico e estimulante das funções digestivas.

Propriedades

Determina uma diminuição da atividade motora, aumentando o tempo de sono, provavelmente por um regulador do sistema vagossimpático. O citral tem efeito antiespasmódico e analgésico, tanto no tecido uterino como no intestinal. A atividade antibacteriana está associada ao citral. O extrato da planta no duodeno do coelho demonstrou a diminuição do tônus abdominal e no reto abdominal.

Indicações

Combate os gases intestinais, histerismo, afecções nervosas, perturbações urinárias, angústia; tônico, sedativo que regula o vagossimpático, atuando na insônia e no nervosismo com dores de cabeça. Eficaz na dispepsia atônica e fermentação intestinal, diarreia, disenteria, gota, reumatismo, cólicas uterinas e estimula a circulação sanguínea em geral. Estimulante lácteo, por motivo desconhecido neste caso, não deve ser usado na gravidez inicial.

Dosagens

Infusão: 2 a 4g da folha em uma xícara de água, se necessário, até quatro vezes ao dia.

39
Cardo-mariano
(Silybum marianum)

Parte utilizada

Frutas, folhas, sementes e raízes.

Constituintes

Possui flavonoides, proteínas, lipídios, açúcares, óleo essencial, albumina, tiramina, silimarina, selibina, tanino, mucilagens, histamina, princípio amargo e ácido graxo linoleico.

Ação

Anti-hemorrágica, hemostático, colerético, hipertensor em caso de hipotensão, tônico amargo, colagogo, colerético, tônico cardíaco, galactagogo, febrífugo, tônico estomacal, aperitivo, diurético e estimulante de todo o sistema gástrico.

Propriedades

Diurético, estimulante, digestivo, protetor e curativo do fígado, prevenindo e até curando a hepatite, a cirrose hepática e a esteatose hepática. Anti-hepatotóxico, restabelece todas as funções hepáticas, é antioxidante e protege o organismo contra os radicais livres. É útil nas hemorragias uterinas e na menstruação irregular e é laxante suave. Por ser colagogo, provoca a saída da bílis que acumula na vesícula biliar e normaliza a pressão arterial.

Indicações

Insuficiência hepática, litíase biliar, cirrose hepática, icterícia, todas as funções do fígado e da vesícula biliar, dispepsia, constipação, menorragia, hipocondria, varizes, função cardiovascular periférica e lactação abundante das mães.

Dosagens

Pó: 500mg em cápsula, duas a três vezes ao dia.

40
Carquejinha
(Carqueja-doce – Baccharis articulata)

Parte utilizada

Toda a planta.

Constituintes

Princípio ativo, acetato de carquejol, nopineno, alfa e beta-cardineno, calameno, eledol, nutanenos, desmol, lactonas diterpenicas, flavonoides, resina, saponina, terpenos, diterpenos, triterpenos, óleo essencial, lactose, tanino, esteroides e polifenóis, pectina e vitamina.

Ação

Antiespasmódica, digestiva, diurética, anti-helmíntica, antirreumática, hiperglicêmica, calmante das vias gastrintestinais, anti-inflamatória e tônica; possui ação nas vias biliares, desintoxicando o fígado e auxiliando no metabolismo das gorduras.

Propriedades

Pela ação diurética, purifica e elimina as toxinas do sangue. Estomáquico, ótimo ao diabético, por sua capacidade hipoglicemiante. Reduz a pressão sanguínea e as taxas de colesterol LDL. Excelente nos casos de desordens digestivas, no intestino, estômago, fígado e baço, e melhora o ritmo respiratório, por ser um grande eliminador de gases no organismo.

Indicações

Má digestão, pirose, prisão de ventre e gastrite. Previne afecções hepáticas, cálculos biliares e gosto amargo na boca. Aumenta o suco gástrico, cura diabetes, inflamações em todo o sistema digestivo, na circulação do sangue, reumatismo, dispepsia, anemia carencial e hanseníase. Nesta última, pode-se usar em compressa na parte afetada, três vezes ao dia. Também é indicado para curar aftas, gases intestinais, intoxicação e dores de estômago.

Dosagens

Infusão: 2 a 4g para uma xícara de água. Tomar duas xícaras ao dia.

Tintura: uma colher de chá em meio copo de água, duas a três vezes ao dia.

41
Cáscara-sagrada
(Rhamnus purshiana)

Parte utilizada

Cascas do caule e dos ramos.

Constituintes

Heterosídeos estáveis, derivados antracênicos, principalmente emodina, cascarosídeos A e B (glicosídeos de aloína), C e D (glicosídeos da crisaloína), princípios amargos e ramnotoxina (albuminoide) presente na planta fresca, tanino, açúcares, óleo volátil, resinas, gorduras e esteróis.

Ação

Catártica, laxante, amarga, estimulante do apetite e colagoga.

Propriedades

Cáscara-sagrada é um catártico e seu principal uso é na correção habitual da constipação, onde não exerce somente uma ação laxativa, mas restabelece o tônus natural do cólon e produz excitação branda e regular do peristaltismo intestinal. Após a ingestão do fármaco por via oral, ocorre a liberação de heterosídeo no intestino grosso. Neste local, pela ação enzimática da flora bacteriana, ocorre hidrólise e liberação de agliconas, que atuam sobre a mucosa, aumentando o peristaltismo.

Indicações

Em pequenas doses, atua como estimulante do apetite e em doses maiores atua como laxante e purgativo suave. Na constipação intestinal, restabelece o tônus natural do cólon, combate os problemas do fígado, estômago, intestino e hemorroidas; possui atividade laxativa, resultante da ação de um conjunto de constituintes, antracênicos livres sob a forma de heterosídeos oxidados e reduzidos.

Dosagens

Infusão ou decocção: não aconselho à pessoa que desconhece a maneira do preparo.

Pó: de 0,25 a 5g ao dia; de preferência usar o produto preparado em laboratório, que é mais seguro. Existem várias preparações em laboratório que contêm esta planta.

42
Castanha-da-índia
(Aesculus hippocastanum)

Parte utilizada

Sementes.

Constituintes

Flavonoides, quercitina, canferol, saponinas triterpênicas, aescigenina, aescina, fitosteróis, tanino, cumarina, heterosídeos, açúcares, ácido graxo, proteínas, provitamina D, saponósido, pigmentos flavônicos, hidrocumarinas, vitaminas B e K e substâncias amargas.

Ação

Anti-hemorrágica, tônico circulatório, anti-inflamatória, antitrombótica, adstringente e vasoconstritora.

Propriedades

Sua principal propriedade é sobre o sistema venoso, aumenta a resistência das veias e diminui a permeabilidade e fragilidade capilar. Possui propriedade espasmolítica e coronariana e atua na circulação, aumentando o tônus e a resistência das veias. Como vasoconstritor hemostático periférico, ativa a circulação sanguínea, favorecendo o retorno venoso e prevenindo acidente vascular cerebral (AVC), espasmos vasculares, tromboflebite, varizes e hemorroidas.

Indicações

Tratamento de hemorroidas, todos os casos de perturbações circulatórias em geral; elimina os espasmos vasculares, edema dos membros inferiores (MI); alivia as dores e o desconforto; previne varizes e hemorroidas, tromboflebites e AVC; é ótimo na fragilidade capilar, queda de cabelos, fissura ou fístula anal.

Dosagens

Decocção: 10 a 20g da semente para uma xícara de água, duas a três vezes ao dia.

Fitocosméticos: extrato glicólico, xampu, espuma para banho (1 a 3%), géis, cremes e loções (1 a 4%).

43
Castanha-do-pará
(Bertholletia excelsa)

Parte utilizada

Sementes.

Constituintes

Possui proteínas com todos os aminoácidos essenciais, necessários para a formação e o desenvolvimento da criança. Sua castanha é considerada um precioso alimento e um ótimo medicamento. Sua proteína excelsina é considerada uma proteína completa, com lactoalbumina e caseína; é rica em óleos, ácidos graxos, oleico, linoleico, palmítico, ácido mirístico, fitosterol, vitaminas A, B, C, E, e uma alta taxa de selênio.

Ação

Galactogênica, desmineralizante, emoliente, lubrificante, nutriente, vitaminizante.

Propriedades

Seu óleo age sobre o tegumento cutâneo, impedindo a evaporação da água da pele; auxilia no metabolismo lipídico, por sua alta taxa de vitamina E e magnésio, que atuam contra o colesterol LDL, aumentando as taxas de HDL, que protege as artérias e o coração. Estimula a síntese de proteína e seus óleos essenciais possuem grande participação em vários processos fisiológicos e bioquímicos de formação do tecido epitelial.

Indicações

Para gestantes e nutrizes, pois além de prevenir a anemia é ótimo alimento para o bebê e ainda estimula a secreção láctea. É essencial na convalescença e na avitaminose, aterosclerose, debilidade, tuberculose, depressão, crescimento e desenvolvimento físico e mental da criança.

Dosagens

Ingere-se como um alimento que faz parte de um medicamento. Para a criança, uma castanha só é suficiente; para o adulto, não deve ultrapassar de cinco unidades diárias, pois mais que isso pode tornar-se tóxica.

44
Catuaba
(Anemopaegma mirandum)

Parte utilizada

Folhas e flores.

Constituintes

Substância amarga e afrodisíaca, tônico nervino, reconstituinte e estimulante do sistema nervoso, adrenérgico, aromático; contém alcaloides, catualino, ácido resinoso, tanino e matéria gordurosa.

Ação

Tônico e estimulante energético e afrodisíaco.

Propriedades

É um modificador das funções vegetativas, atuando também no nível dos centros nervosos, interferindo na condução de impulsos dos nervos motores. Opera lentamente, reconstituindo e dando energia ao organismo. Dá estabilidade emocional na convalescença de moléstias graves, na dificuldade de raciocínio e de concentração e auxilia no tratamento da neurastenia, elevando a produtividade mental e recuperando o vigor. Melhora a performance física nos casos de frigidez e fraqueza em homens e mulheres de qualquer idade.

Indicações

Melhora a qualidade do sono nas pessoas que têm sono agitado, nervosismo, neurastenia, falta de memória, esquecimento, nas convalescenças de moléstias graves e problemas de estômago.

Dosagens

Pó: no máximo de 2 a 10g por dia.

Extrato seco: de 0,4 a 2g por dia.

Tintura: de 10 até 50 gotas ao dia.

45
Cava-cava
(Piper methysticum)

Parte utilizada

Folhas e raízes.

Constituintes

Glicosídeos, polissacarídeos, ésteres, alcoóis alifáticos, ácidos orgânicos, cetonas, calcona, flavocaína A, flavocaína B, cavaína, dedrometisticina, metisticina, ácido, alcaloides de pirrolidina, cavapirona ou cavalactona, cavaina, aminopirina e fenilbutazona.

Ação

Anticonvulsivante, relaxante, espasmolítica, tranquilizante, anti-inflamatória, calmante, antidepressiva, ansiolítica, anticolinérgica, estimulante do humor, combate os problemas psíquicos e psicossomáticos, normaliza o sistema neurovegetativo e é antiestresse.

Propriedades

Reduz os riscos de doenças cardíacas e estabiliza e normaliza as desordens das catecolaminas, favorecendo o sono tranquilo. Inibe a recaptação da serotonina e da noradrenalina no neurônio pré-sináptico, atua nos tratamentos das gastralgias, úlceras gástricas e duodenais, colite e cólon irritado, acalmando os nervos e aliviando as dores, e possui uma suave ação relaxante muscular.

Indicações

Nos espasmos de natureza tensional, cervicalgia, lombalgia, convulsões, problemas nervosos; auxilia nos tratamentos de úlceras gastroduodenais, estresse, dor de cabeça, ansiedade e insônia. É isento de efeitos colaterais.

Dosagens

Infusão: com 10g da folha para uma xícara de água. Tomar duas a três vezes ao dia.

Decocção: usa-se a raiz com álcool, em fusão de cinco dias, faz-se compressas para cervicalgia e lombalgia, ou para qualquer problema muscular. Também existem as cápsulas preparadas em farmácias, que devem ser prescritas.

46
Cavalinha
(Equisetum arvense)

Parte utilizada

Parte aérea.

Constituintes

São compostos hidrossolúveis de sílica, flavonoides, quercitina, glicosídeos, alcaloides, fitosteróis, heterosídeos, tanino, saponinas; ácidos orgânicos: oleico, linoleico, esteárico, linolênico, oxálico, málico e gálico; vitaminas C, B3, B5 e B6; sais minerais: cálcio, cloro, cobre, enxofre, ferro, fósforo, magnésio, manganês, potássio e silício; nicotina, equisetrina, canferol, tanino e substância amarga.

Ação

Adstringente, anti-inflamatória, cicatrizante, diurética natural, anti-hipertensiva, anti-hemorrágica, fortificante, remineralizante, antidiarreica, antirreumática, digestiva, depurativa do sangue, revitalizante, hemostática e antianêmica.

Propriedades

Sua atuação maior é como diurético natural. Nas afecções do sistema urinário aumenta a diurese e elimina os cálculos dos rins e da bexiga. Cura a cistite, a febre, e é eficiente nas doenças pulmonares, cardíacas e na hipertensão arterial. Elimina os edemas dos membros inferiores, previne a arteriosclerose, a descalcificação óssea e auxilia na restauração das fraturas. É útil contra úlceras gastrointestinais, febre puerperal, metrorragia (hemorragia uterina), hemorragia da tuberculose e elimina as substâncias tóxicas. Auxilia na formação dos glóbulos vermelhos, elimina o excesso de ácido úrico e enriquece o sangue, limpando o organismo.

Indicações

Doenças dos rins e bexiga, em caso de incontinência urinária em crianças, na hemorragia nasal, inflamações de garganta e das glândulas e elimina o ácido úrico. Mineraliza os ossos, atuando contra a osteoporose; age nos problemas da próstata e auxilia na cura da acne e na anemia, ajudando a formar os glóbulos vermelhos. Fortalece cabelos, unhas, dentes, acne e inflamação dos olhos.

Dosagens

Infusão: uma colher de sopa para uma xícara de água. Tomar duas a três xícaras ao dia.

Uso externo: para dores abdominais, reumáticas e outros, fazer compressas quentes, de quinze em quinze minutos, até aliviar as dores, assim como na cistite.

47
Centela
(Centella asiatica)

Parte utilizada

Parte aérea.

Constituintes

Princípio ativo e ácido asiático, ácido madecássico e asiaticosídeo, aminoácidos, alcaloides, flavonoides, óleo essencial, resinas, triterpenos, quercitina, cânfora, cincol, ácidos graxos, açúcares e os constituintes da fração da centela. Atua normalizando a produção do colágeno, constitui um dos raros estimulantes sem efeito cumulativo prejudicial.

Ação

Anti-inflamatória, calmante, refrescante, diurética, estimulante, anticelulítico, vasodilatador periférico, eutrófico do tecido conjuntivo, tem ação normalizadora da circulação venosa do retorno, antibiótico e anti-irritante.

Propriedades

A produção do colágeno em nível dos fibroblastos, promove o restabelecimento de uma trama colágena normal, flexível e consequente desbloqueamento das células adiposas, permitindo a liberação da gordura localizada, graças à possibilidade de penetração das enzimas lipolíticas. Tem a probabilidade, portanto, de proporcionar a normalização das trocas metabólicas entre a corrente sanguínea e as células adiposas. Esta função ainda auxilia pela melhora da circulação venosa de retorno, que combate os processos degenerativos do tecido venoso, também controlam a fixação da prolina e alanina, elementos fundamentais na formação do colágeno. A centela rejuvenesce o cérebro, nervos e glândulas endócrinas, através de um alcaloide similar ao ginseng.

Indicações

No tratamento da celulite localizada, no edema de origem venosa dos membros inferiores e favorece o processo de circulação e cicatrização de feridas na pele. Age sobre fibroses de várias origens, possui poder anti-inflamatório e é indicada nas úlceras varicosas, irritação vaginal, hematomas e todos os problemas de pele, obesidade e problemas renais. Fortalece a memória, melhora o Mal de Alzheimer, diminui a fragilidade capilar, combate os processos degenerativos do tecido venoso, regulariza as funções intestinais, combate o formigamento e câimbras dos membros inferiores e controla o apetite do obeso. Neste caso, o tratamento deve ser de uso num período mínimo de três meses, tempo necessário à recuperação do tecido adiposo.

Dosagens

Pó: 0,25 a 1g/dia após as refeições.

Extrato seco: 0,05 a 0,2g ao dia.

Extrato fluido: 0,25 a 1ml ao dia.

Fitocosméticos: como géis, cremes e loções suavizantes, extrato glicólico de 2 a 5%; em cremes reparadores e restauradores, extrato glicólico de 3 a 6%; cremes pós-sol, extrato glicólico de 1 a 5%.

48
Chá-da-índia
(Chá-preto – Camellia sinensis)

Parte utilizada

Folhas e talos.

Constituintes

Teofilina, cafeína, xantina e adeína são seus próprios estimulantes; contém substâncias tânicas e um tanino de rara estrutura pirogálico-catéquica. Sua planta deve ser podada frequentemente para provocar o aumento da ramificação, diminuir sua altura e facilitar a coleta das folhas jovens e brotos folhosos. Depois de fermentado, seco e aromatizado, constitui-se o chá-preto.

Ação

Antibiótica, antidiarreica, desintoxicante e antimicrobiana.

Propriedades

Possui atividade estimulante, é um fitoterápico complexo, antibiótico que atua contra o Vibrio cholerae, com propriedade antidiarreica; por inibição das toxinas estafilocócicas e colérica, previne intoxicações alimentares e infecções intestinais.

Indicações

No tratamento auxiliar do cólera e demais diarreias de origem microbiana; é um preventivo nas intoxicações gástricas e é ótimo na má digestão, enjoo e vômitos de origem digestiva.

Dosagens

Chá: faz-se o chá de maneira habitual, um saquinho para uma xícara de água em fusão, duas ou mais vezes ao dia, sempre que necessário.

49
Chapéu-de-couro
(Echinodorus macrophyllus)

Parte utilizada

Folhas.

Constituintes

Flavonoides, alcaloides, tanino, óleo essencial, resina, aldeído, cinâmico, felandreno, sais minerais como iodo, oxalato de cálcio, heterosídeos, triterpenos, mucilagem, goma, engenol, vinilina, cineol, metilacetona, pireno e cardiotônico.

Ação

Possui ação depurativa, diurética, laxativa, colagoga, adstringente, energética, hiperuricêmico, antirreumático, hepático e anti-inflamatório.

Propriedades

Desintoxicante, facilita a eliminação de toxinas e dissolve o ácido úrico. Atua no intestino delgado, produzindo um efeito laxativo, e tem ação estimulante da bílis. Possui ótima ação sobre os rins e o fígado, age melhorando os quadros reumáticos pelo aumento no fluxo urinário, e melhora a sua ação na filtração glomerular.

Indicações

Combate as dores das articulações, afecções das vias urinárias, rins e inflamações da bexiga. Possui ação preventiva contra a arteriosclerose, erupções cutâneas, cura feridas, sífilis e úlceras intestinais. Elimina cálculos dos rins e da vesícula, hipertensão, bócio, nevralgias, insuficiência hepática, edemas, e é indicado contra todos os problemas de pele, fazendo que quem use esta planta adquira uma pele fina e sedosa.

Dosagens

Infusão: 2g por xícara de água, três vezes ao dia.

50
Cipó-cabeludo
(Mikania hirsutissima)

Parte utilizada

Planta florida.

Constituintes

Constituinte químico antialbuminúrico, de substâncias resinosas, catequinas, flavonoides, óleo essencial, sais minerais, cumarina, tanino, saponina, resinas, ferro, cálcio, potássio, sódio, sais de alumínio, flavonas e ácidos terpênicos.

Ação

Anti-inflamatório, antirreumático, antinevrálgico, antialbuminúrico, diurético e antiartrítico.

Propriedades

É um tônico nervino que atua contra as nevralgias, é diurético, melhora as nefrites, inflamações da bexiga, cólicas menstruais e gota, e usa-se nos edemas. Modifica a função glomerular, impedindo a translação de albumina, eliminando-a da urina. Elimina a cistite, uretrite, a inflamação da mucosa da bexiga e da pelve renal pielite, todas as afecções renais, hemorragia aguda e reumatismo. Previne a litíase renal e biliar pelo seu poder diurético, elimina as toxinas do sangue e de todo organismo através da filtração renal.

Indicações

Faz cessar a nefrite, cistite, pielite crônica, ácido úrico, frieira, rachaduras do calcanhar, coceiras pelo corpo, artritismo, calos, dores pelo corpo, gota, nevralgia, contusões, cálculos na vesícula, albuminuria e cólicas menstruais.

Dosagens

Uso interno: Infusão de 3g em uma xícara de água. Tomar duas a três xícaras ao dia. Tintura, extrato e xarope são preparados em laboratório e usados sob prescrição do profissional.

Uso externo: chá da planta em fricções ou compressas na parte dolorida, nos casos de reumatismo, gota, nevralgias e contusões.

51
Clorela
(Chlorella pyrenoidosa)

Parte utilizada

Toda alga.

Constituintes

É um extrato seco obtido de uma microalga unicelular, que requer processamento industrial adicional para romper as duras paredes das fibras de suas células, sendo provido de elevado valor nutritivo. Seus constituintes são proteínas, hidrato de carbono, lipídios, fibras, ácido aspártico e glutâmico, isoleucina, leucina, lisina, fenilalanina, tirosina, metionina, cisteína, treonina, triptofano, enfim todos os aminoácidos, clorofila, xantofila, vitaminas C, E, B1, B2, B6, B9 e B12 e caroteno; ácido pantotênico, cálcio, fósforo, ferro, potássio, magnésio e cloro. A clorofila da clorela ajuda a acelerar e a purificar o sangue, é rica em RNA e DNA. É uma aliada nas dietas de desintoxicação, elimina metais tóxicos, mantendo a integridade celular.

Ação

Possui ação antioxidante, antiterogênica, reduz a peroxidação lipídica, anti-inflamatória, desintoxica e purifica o sangue. Protege o organismo contra os efeitos da radiação ultravioleta, possui ação como complemento nutritivo nas dietas de emagrecimento e estimula o sistema imunológico. Ação hipotensora: estabiliza os níveis de pressão diastólica.

Propriedades

A clorela contém todos os aminoácidos essenciais, entre eles destacam-se a leucina, metionina e serina, mas o principal é o triptofano que, quando em contato com o suco gástrico, faz esta alga se expandir e liberar o triptofano, dando uma sensação de saciedade. Acumula uma grande quantidade de nutrientes, como vitaminas hidrossolúveis (com destaque para a B12) e lipossolúveis (com destaque para o betacaroteno), proteínas de alto valor biológico e fibras. Promove a respiração e a integridade das células e tecidos, auxilia contra os distúrbios cardiovasculares e digestivos e normaliza as funções gastrointestinais. Diminui as taxas de colesterol e triglicerídeos elevados no sangue, é hipotensor e auxilia na dieta do obeso, promovendo a reparação dos tecidos e a integridade das células de todo o organismo.

Indicações

No tratamento da obesidade e emagrecimento, na convalescência, na carência alimentar, nos distúrbios digestivos e cardiovasculares, nos problemas de altas taxas de colesterol e triglicerídeos.

Dosagens

Pó: de 300 a 500mg, duas vezes ao dia, ou a critério da orientação do profissional.

52
Copaíba
(Copaifera langsdorffii)

Parte utilizada

Resina extraída do caule.

Constituintes

Óleo aromático, emoliente e tonificante.

Ação

Expectorante, cicatrizante, antisséptica, carminativa, emoliente, diurética, estimulante, tônica e laxativa.

Propriedades

Sua maior propriedade internamente é nas funções respiratórias e urinárias. Em doses pequenas, é estimulante do apetite, com ação direta sobre o estômago. Possui propriedades tópicas, restabelecendo as funções das membranas mucosas, modificando as secreções e acelerando a cicatrização.

Indicações

É indicada em todas as dores reumáticas como fitoterápico, nos problemas pulmonares, tosses, bronquites, asma, constipação intestinal, cistite, incontinência urinária, leucorreia e disenterias. Externamente, usa-se géis emulcionantes, sabonetes, xampus, cremes, loções para pele, que ajudam na cura de espinhas.

Contraindicação: para diabéticos, gestantes e lactentes.

Dosagens

Adultos, 5 a 60 gotas do bálsamo preparado do óleo de copaíba, tomar duas a três vezes ao dia, no mel ou no leite.

53
Cordão-de-frade
(Leonotis nepetaefolia)

Parte utilizada

Folhas e talos.

Constituintes

Óleo volátil, cheiro aromático, terpenos, lactonas, tanino, cumarina, diterpeno, lactonas sesquiterpênicas, flucoside, diterpeno metoxipetefolio, ácido labdânico, alcoóis terpênicos, nepetefolinol e leonitina.

Ação

Adrenérgica, tônica peitoral, balsâmica, antiespasmódica, antiasmática, diurética, estomáquica, carminativa, calmante, febrífuga, broncodilatadora, anti-hemorrágica e antirreumática.

Propriedades

Sua principal propriedade é sobre todo o aparelho digestivo em geral, como o estômago, fígado, intestino e pâncreas; atua na gastrite, cólicas gástricas, dispepsia, flatulência, metrorragia e combate o ácido úrico e o reumatismo articular agudo. Tônico na debilidade orgânica, previne a anemia, espasmos e cólicas e estimula a secreção e eliminação de urina, nevralgia e disúria, principalmente em crianças. Neste caso, pode ser aplicada no banho, com chá, fervendo os talos das folhas.

Indicações

Nevralgias, reumatismo articular, asma, tosse, problemas respiratórios, infecções pulmonares e brônquios, disúria, hemorragias, náuseas, cólicas gástricas, dispepsia, pirose, anemia, espasmos digestivos, ácido úrico, flatulência, artrite, gota e aumenta os glóbulos vermelhos do sangue.

Dosagens

Infusão: 2 a 4g em uma xícara de água. Tomar de quatro a cinco xícaras ao dia.

54
Crataegos
(Crataegus oxyacantha)

Parte utilizada

Folhas e flores.

Constituintes

Flavonoides, aminas, galactosídeos, proceanídicos, hiperosídeos, quercetol, procianidol, ácido triterpeno, saponina, tanino, cianidol, dímero, raminosídeo, epicatecol e cromotrópico.

Ação

Hipotensiva, age nas insuficiências cardíaca ou coronariana e é vasodilatador, aumentando o aporte sanguíneo no miocárdio e nas coronárias, prevenindo o infarto do miocárdio. É um estimulante intracelular, inotrópica e cromotrópica positiva, diaforética, diurética e antiespasmódica.

Propriedades

Funciona como tônico cardíaco, reduzindo a taquicardia e a angina. Previne a hipertensão e o acidente vascular cerebral (AVC) e melhora a irrigação sanguínea, aumentando o aporte do sangue nas coronárias e no músculo cardíaco (miocárdio), aumentando sua capacidade. Auxilia a concentração de cálcio, atua no sistema nervoso central e previne a depressão.

Indicações

As folhas e flores são empregadas como tônico cardíaco, antiespasmódico, para sensação de opressão da região torácica, controla a pressão arterial e previne o acidente vascular cerebral (AVC).

Dosagens

Infusão: 2 a 4g por xícara de água três vezes ao dia.

Tintura: 40 gotas ao dia, ou em cápsulas, conforme a indicação do profissional.

55
Dente-de-leão
(Taraxacum officinale)

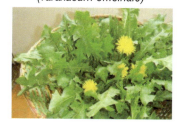

Parte utilizada

Folhas e raízes.

Constituintes

Derivados terpênicos, beta-amirina, taraxerol, taraxasterol, flavonoides, óleo essencial, beta-sitosterol e estigmasterol, carotenoides, ácido cítrico, ácido cafeico, pró-vitamina A, vitaminas C, E, D, B1, B2, B5, B6, B9 e B12, PABA, colina, biotina, inositol, goma, ácido linoleico, glúten, insulina, aminoácidos, proteínas, sais minerais, cálcio, ferro, potássio, manganês, selênio, zinco, cobalto, níquel, alcaloides, ácidos orgânicos, resina, glicídios, saponina, ácidos graxos, mucilagem, princípio amargo e pectina.

Ação

Hepático estomacal, depurativo do sangue, colagogo, diurético, tônico estimulante, anti-inflamatório, colerético, antirreumático, antianêmico e digestivo. Ajuda na formação da bílis, remove líquidos retidos do organismo, desintoxicando-o, amplia o fluxo biliar, atua na prevenção de cálculos da vesícula, na icterícia e cura as inflamações hepáticas em geral.

Propriedades

É considerado o melhor fitoterápico presente, é estimulante da função renal, aumenta a diurese, diminui as dores reumáticas, modera a ação inflamatória, exerce uma influência favorável sobre o tecido conjuntivo e previne a anemia, o ácido úrico, o colesterol e triglicerídeos. Previne os cálculos da vesícula e a icterícia, alivia a febre e atua na prisão de ventre e câimbras. Controla no tratamento da cirrose hepática, ajuda na cura das enfermidades do baço e dos rins, estômago e pâncreas e é excelente no tratamento de reumatismos e gota.

Indicações

Pessoas predispostas a litíase biliar, oliguria, problemas hepáticos em geral, como cirrose, icterícia, todas as desordens hepatobiliar, tratamento de hipoacidez gástrica, dispepsia, dermatoses, obesidade e problemas reumáticos.

Dosagens

Infusão: como tônico depurativo, usa-se 2 a 4g de folhas por xícara de água, três vezes ao dia.

Decocção: da raiz, de duas a três colheres de chá em 300ml de água, três vezes ao dia.

Alimentação: pode-se usar a folha como salada.

56
Equinácea
(Echinacea angustifolia)

Parte utilizada

Raiz.

Constituintes

Ésteres do ácido cafeico, equinacosídeos, cinarizina, alcamídeos, alcaloides pirrolizidínicos, betina, óleos voláteis, equinolona, aldeído, fitoesteróis e polissacarídeos.

Ação

Anti-inflamatória, imunológica, fungicida, imunoestimulante, antirreumática, antibiótica natural e antialérgica. Previne a gripe e resfriados, acelera a reabilitação do organismo com o aumento das defesas e combate viroses.

Propriedades

Atividade imunológica, estimula a fagocitose e aumenta de 20 a 40% os leucócitos, aumentando o número de células imunes na circulação. Estimula a produção de interferon, como também outros mediadores químicos do sistema imune, importantes para a resposta do organismo contra as células cancerígenas. Desenvolve ação bacteriostática através da inibição da hialuronidase bacteriana que lesa células sadias, e ajuda a prevenir infecções, quando utilizada em ferimentos. Além deste efeito hialuronidase-inibitório, tem propriedades fungicidas que ajudam a estimular o crescimento do novo tecido, com efeito anti-inflamatório.

Indicações

Candidíase, infecções no trato respiratório superior, cura ferimentos, gripes, resfriados, alergias, dor de dente e gengivas, abscessos, artrite reumatoide, infecções generalizadas, doenças virais e bacterianas.

Contraindicações: na hipersensibilidade à planta; não se recomenda em desordens sistêmicas progressivas, como HIV, tuberculose, colagenoses, esclerose múltipla.

Dosagens

Decocção: 1g da raiz seca para uma xícara de água, duas vezes ao dia. Tintura e extrato líquido, usa-se de acordo com a orientação do profissional.

57
Erva-cidreira
(Lippia alba)

Parte utilizada

Folha.

Constituintes

Planta aromática, contém óleo essencial, limoleno, melissa, medicanol tânico do taunol, alcoóis, resinas, mucilagem, citral, cotrantol, flavonoides, glicosídeos, alcoóis compostos, terpênicos e derivados do ácido rosmarínico, ácido cafeico e extrato aquoso de melissa.

Ação

Anticonvulsiva, hipotensora, diurética, ação virustática, anti-inflamatória, carminativa, calmante, antiespasmódica, digestiva, sedativa, estomáquica, antitraumática e atua como dissolvente de congestões.

Propriedades

Sedativa, anticonvulsionante, espasmolítica, anti-inflamatória e reconstituinte do sistema gastrointestinal. É um tônico nervino, atua sobre os problemas do coração e do cérebro e alivia as dores de estômago das pessoas nervosas. Acalma as cólicas gástricas e intestinais, dissolve os gases e é um sedativo suave do fígado e da vesícula biliar.

Indicações

Dores reumáticas, periféricas em geral, hipocondria, desmaios, resfriados, gases, dor de cabeça, de dente e enxaqueca. Alivia o vômito, principalmente das grávidas, náuseas e enjoos. Atua no tratamento do herpes simples, insônia, palpitação no coração, flatulência, arrotos, histerias, icterícia, câimbras intestinais, na circulação, pericardite, tosse, resfriado, vertigem, anorexia, paralisia, epilepsia, taquicardia, irregularidades menstruais e anemia das gestantes e das crianças.

Dosagens

Infusão: uma colher de sopa das folhas por xícara de água. Tomar duas a três xícaras ao dia. Existe a tintura e a homeopatia preparada em laboratórios. As doses dependem da orientação.

58
Erva-de-bicho
(Polygonum persicaria)

Parte utilizada

Parte aérea.

Constituintes

Flavonoides, antraquinonas livres, tanino, açúcares, ácido málico, quercitina, ácido valeriânico, fitosterina, ácido gálico, saponinas, ácido fórmico e acético, canferol, pelagonidina, luteolina e glicosídeos.

Ação

Diurética, adstringente, anti-inflamatória, antirreumática, sedativa, tônico estimulante, vasoconstritor, hemostático, anti-hemorrágico, antissifilítico, diurético, cicatrizante e depurativo do sangue.

Propriedades

Remédio popular e eficiente nas afecções sifilíticas, nas hemorroidas e nas úlceras varicosas, favorece e acelera a coagulação do sangue nas hemorragias. Melhora as varizes, disenterias sanguinolentas, verminoses, amenorreia, estimula a circulação e diminui a fragilidade capilar. É útil na retenção de urina e afecções urinárias e exerce ação sobre a viscosidade sanguínea.

Indicações

Manifestações sifilíticas, hemorragias, hemorroidas, varizes e úlceras varicosas, amenorreia, verminoses e disenterias sanguinolentas, afecções urinárias e fibroma uterino, congestão cerebral e raciocínio difícil.

Dosagens

Infusão: 2 a 4g da planta para uma xícara de água. Usar uma xícara duas a três vezes ao dia.

Tintura: uma colher de sobremesa, três vezes ao dia, diluído em água.

Uso externo: além da pomada para varizes, pode-se usar o chá para lavar feridas e para banho de assento.

59
Espinheira-santa
(Maytenus ilicifolia)

Parte utilizada

Folha.

Constituintes

Os principais elementos constituintes são os terpenos (maytesina, entre outros) e os minerais (como o ferro, enxofre, cálcio, sódio e iodo), resinas aromáticas, mucilagens, tanino, ácido tânico, ácido silícico, flavonoides, alcaloides, óleo essencial e açúcares livres.

Ação

Analgésica, carminativa, desinfectante, levemente laxante, antimicrobiana, antineoplásica, antiúlcera, antisséptica, estomáquica, anti-inflamatória, tonificante, cicatrizante de úlceras gástricas pilóricas e duodenais.

Propriedades

Cicatrizante, que age rapidamente nas gastrites crônicas e úlceras gastroduodenais, promove a reintegração das funções estomacais, aumenta o volume e o PH do conteúdo gástrico, cicatriza as lesões e úlceras do aparelho digestivo e cura a fermentação e inflamação intestinal. Na hepatite, atua no fígado, estimulando a bílis e todas as funções digestivas, acalma rapidamente as dores da gastralgia e atua sobre os rins, eliminando as toxinas do organismo e cicatrizando lesões da pele.

Indicações

Dispepsias, gastralgias, hipercloridria, gases intestinais, evita a fermentação gástrica; analgésica, digestiva, acalma rapidamente as dores (e mal-estar causado pela acidez) da gastrite e das úlceras gástrica, pilórica e duodenal, a má digestão, pirose e vômitos, nos problemas dos rins, fígado, bexiga, febres graves, cancro, impurezas do sangue, pólipos nasais, insuficiência hepática, anemia, câncer de estômago, tumores, sífilis, acnes, prisão de ventre, formação de gases e flatulências.

Dosagens

Decocção: de folhas secas, por dez minutos.

Infusão: de folhas verdes, 2 a 4g para uma xícara de água. Tomar de três a quatro xícaras ao dia.

60
Fáfia
(Pfaffia iresinoides)

Parte utilizada

Raiz.

Constituintes

Alantoína, saponinas, mucilagens, ácido pfáfico, sitosterol, aminoácidos, estigmasterol, fasfosídeos, fosfolipídios, vitaminas A, B1, B2, C, D, E e F, ácido fólico, sais minerais: cálcio, ferro, magnésio, potássio, cobre, zinco, cromo, cobalto, vanádio, lítio, silício, cádmio e gelcemio.

Ação

Tônica, imunoestimulante, cicatrizante, anti-inflamatório, ativa a circulação geral e as funções cerebrais, auxilia no tratamento da anemia, diabetes e a hipotensão, elimina o cansaço físico, mental, fadiga e a depressão.

Propriedades

Possui propriedade hipoglicemiante, potencializa a ação da insulina no diabético, possui proteína de alto valor biológico, que aumenta os hematócritos, o número de glóbulos vermelhos e a taxa de hemoglobina, prevenindo a anemia e estimulando o sistema nervoso central. Elimina a fadiga física e mental, combate o estresse, fortalecendo o coração e o sistema circulatório. Regenera as células em geral e, nos casos de intoxicação crônica, possui ação antitóxica e um efeito analgésico. Através do ácido fáfico, pode ser inibido o crescimento de células tumorais.

Indicações

Auxilia no tratamento do diabetes, anemia e todos os problemas circulatórios e estressantes, fadiga, cansaço físico e mental, hipotensão e irregularidades da pressão sanguínea. Nas disfunções do sistema nervoso central, melhora com clareza sua atividade cerebral, sendo indicada contra depressão e intoxicação.

Dosagens

Pó: de 5 a10g ao dia, diluído em água ou leite, às refeições.

61
Fedegoso
(Cassia occidentalis)

Parte utilizada

Folha, casca, raiz e semente.

Constituintes

Ácido cáprico, óleo essencial, xantonas, antraquinonas, emodina, óleo palmítico, oleico, esteárico e mirístico.

Ação

Anti-inflamatório, laxante, diurético, cicatrizante, colagoga, emenagoga e antimicótico.

Propriedades

Estimulante da secreção biliar, é purgativo, melhora todos os problemas hepáticos, febres e auxilia na regeneração das células e tecidos danificados. Seus componentes são mais usados externamente; para uso interno deve ser chá fraco.

Indicações

Dismenorreia, hidropisia, afecções hepáticas, febres, afecções da pele, impinge, inflamações, feridas e micoses.

Contraindicação: para crianças, e proibido para gestantes, por ser abortivo.

Dosagens

Decocção: raiz ou casca, 2g para uma xícara de água, duas a três vezes ao dia.

Infusão (purgativo): 5g para uma xícara de água, uma ou duas vezes ao dia.

Uso externo: colocar folhas verdes em um vidro e encher de álcool, deixando descansar por uns dias, e usar como compressa nos locais afetados.

62
Fucus
(Fucus vesiculosus)

Parte utilizada

Planta inteira.

Constituintes

Iodo, lipídios, bromo, ácido algínico, óleo essencial, ácidos graxos livres, pectina, fucoidina, mucilagem, os sais minerais: cloro, potássio, ferro, fósforo, bromo e ficoxantina.

Ação

Complemento mineral, estimulante da tireoide, depurativo do sangue, diurético, auxilia no tratamento da obesidade, principalmente disfunção da tireoide por alteração das taxas de iodo.

Propriedades

Por seu alto teor de iodo, o fucus estimula a tireoide, regularizando a produção do hormônio tireotrofina e acelerando o metabolismo de glicose e ácidos graxos, ativa o aumento do trânsito intestinal e da ação diurética, e atua auxiliando no tratamento da obesidade.

Indicações

Hipotireoidismo, disfunções da tireoide por deficiência ou alteração das taxas de iodo e obesidade.

Contraindicação: pessoas com hipersensibilidade ao iodo, no hipertireoidismo, problemas cardíacos, gravidez e lactação.

Dosagens

Decocção: do talo, 2g para uma xícara de água, duas vezes ao dia.

Pó: cápsulas de 500mg a 1g, três vezes ao dia.

63
Funcho
(Foeniculum vulgare)

Parte utilizada

Fruto, folha e raiz.

Constituintes

Aleurona, óleo essencial, pineno, felandreno, disperteno, flavonoides, mucilagem, quercitina, ácidos graxos, compostos fenólicos, matérias proteicas, tanino, cumarinas, pectinas, anetol, foeniculina, oleico, linoleico, palmítico, óleo essencial funchona, tocoferol, sais minerais, ácidos cítrico e málico, hidrocarbonetos terpênicos, ácido clorogênico e cafeico, proteínas, óleos voláteis, ácido sucínico, tânico e fosfórico.

Ação

As folhas e frutos atuam como carminativos, emenagogos, estimulantes estomacais, anti-inflamatórios, expectorantes, antiespasmódicos, vermífugos, digestivos, vulnerários, coleréticos, diuréticos, galactogogos, purificantes e aromáticos.

Propriedades

Relaxante muscular, estomáquico, atua aumentando o peristaltismo, reduz a produção de gases intestinais e favorece a secreção brônquica, removendo o excesso de muco do aparelho respiratório. Previne espasmos e cólicas abdominais, é digestivo e estimula o fluxo menstrual. Aumenta a circulação cutânea, estimula a dilatação dos capilares, favorece a secreção láctea e é ótimo na amamentação.

Indicações

Tosses, bronquite, dores musculares e reumáticas, cura qualquer tipo de anorexia, dismenorreia, problemas urinários, dispepsia, flatulências, azia, vômito, diarreia e conjuntivite. Não há contraindicações.

Dosagens

Infusão: 5g das folhas verdes ou 3g das sementes para uma xícara de água, antes das refeições. Para o aparelho digestivo, tomar o chá sem açúcar e, para problemas respiratórios, tomar quente, adoçado com mel.

64
Garra-do-diabo
(Harpagophytum procumbens)

Parte utilizada

Tubérculos.

Constituintes

Flavonoides, óleo essencial, heterosídeos, ácidos aromáticos, cafeico, cinâmico e clorogênico, beta-sitosterol, açúcares (glucose, frutose, rafinose), triterpenos, heterosídeos iridoides (harpagoside, harpagide e procumbina).

Ação

Anti-inflamatória, analgésica, antiespasmódica, estimulante digestiva, atua na estimulação dos problemas articulares, tendinite, artrite reumatoide, osteartrite e dores lombares espasmolíticas.

Propriedades

Melhora a atividade motora, inflamações nas juntas e rigidez, deformidade e edema nos joelhos e pulsos, cotovelos, dedos, quadris, ombros e osteoporose. É recomendada para atletas, para evitar a tendinite e dores musculares e é um estimulante sobre o sistema linfático. Inibe a síntese de prostaglandinas, interferindo na permeabilidade da membrana celular, e favorece a atividade do fígado, desintoxicando e eliminando a ureia. Tem ação sobre a vesícula, pâncreas, estômago, intestinos e rins.

Indicações

Dispepsias, todas as doenças reumáticas, como: artrite, gota, artrose, osteartrite, doenças degenerativas provocadas pelo desgaste da cartilagem e nas extremidades dos ossos.

Contraindicação: pessoas com úlceras gastrintestinais, litíase biliar e gravidez.

Dosagens

Decocção: 5 a 15g em 500ml de água. Dividir em três porções.

Pó: cápsulas de 500mg, duas vezes ao dia.

Tintura: 1ml, três vezes ao dia, com água. Tomar o produto de 4 a 6 semanas e parar um mês, depois do qual voltar a tomar.

65
Genciana
(Gentiana lutea)

Parte utilizada

Raiz.

Constituintes

Alcaloides como a gencianina e gencialutina, tanino, pectina, glicosídeos, princípios amargos, heterosídeos, traços de óleo volátil, polissacarídeos, oligossacarídeos, xantonas, ácido fenólico, genciopicrina, genciamarina, gencilina e genciosterina, óleo essencial e ácido genciânico.

Ação

Aperiente, tônica, estomáquica, antitérmica, vermífuga, colagoga, colerética, febrífuga, estimulante digestiva, antiácida, estimula o apetite.

Propriedades

Tônico estomacal, atua na inapetência, convalescência, má digestão, ótimo na artrite, gota, reumatismo crônico, anemia, anti-helmíntico, estimulante do apetite e antirreumático.

Indicações

Flatulências, cólicas na região umbilical, dor de cabeça frontal, dor nos olhos, garganta seca, saliva espessa, melhora o apetite e dores de estômago (nestes casos, usar a tintura mãe em homeopatia), anemia, dispepsia, diarreia, disenteria e tuberculose.

Contraindicação: para pacientes com úlceras gástricas.

Dosagens

Pó: 1g em uma xícara de água, duas a quatro xícaras ao dia.

Decocção: 2g folhas e raízes secas, três vezes ao dia, antes das refeições.

Tintura: quinze gotas, três vezes ao dia.

66
Gengibre
(Zingiber officinale)

Parte utilizada

Rizoma.

Constituintes

Planta vivaz, herbácea e aromática, óleo essencial, volátil, citral, zingibereno, bisaboleno, PABA, colina, inositol, ácido fólico, substância ácida, ácido fítico, nicotinamida, ácido pantotênico, proteínas, pectina, amido, resina, sais minerais, gingerol, geraniol, acetato de geranila, borneol, beta-felandreno, ácidos orgânicos, princípio amargo, d-canfeno, aroma picante e mucilagens.

Ação

Estimulante, carminativo, estomáquico, digestivo, diurético, antidepressivo, antitrombótico, antiasmático, tônico da circulação periférica, aumenta o peristaltismo e o tônus muscular do intestino, estimulando os centros vasomotores e respiratórios, antisséptico e aromatizante bucal.

Propriedades

Anti-inflamatórias, estimulante da circulação geral e cardiovascular, atua no sistema nervoso central, nas cólicas por acúmulo de gases no estômago, na atonia do aparelho digestivo, estimulante digestivo e expectorante. Alivia as dores locais causadas por traumatismos articulares ou torcicolos, é útil no tratamento de inflamações e auxilia no tratamento de câncer de estômago. Atua nas hemorroidas dolorosas e nas diarreias, limpa o cólon, reduzindo os espasmos, favorece a diurese e atua na menorragia e metrorragia em geral.

Indicações

Catarro crônico, asma, rouquidão aguda e crônica, inflamações da garganta e bucal, amigdalite, dores de garganta, dor de cabeça, flatulência, diarreias, dispepsia, inapetência, dores da gota, coluna, dores reumáticas e artríticas, bronquite, hemorroidas, náuseas, vômito, enjoos matinais de viagens, colite, cólicas gastrointestinais, gases, má digestão, polineurite e dores musculares em geral.

Dosagens

Decocção: rizoma, 2 a 3cm picados para uma xícara de água, duas a três vezes ao dia.

Uso externo: aplicação local e compressa. Rala-se o gengibre fresco e aplica-se em um pano fino.

67
Ginkgo
(Ginkgo biloba)

Parte utilizada

Folha.

Constituintes

Princípio ativo, flavonoides (biflavonoides ginkgetina, isoginkgetina e bilobetina), diterpenos (ginkgolídeos A, B, C, J e M), terpenos, esteróis, aminoácidos, alcoóis, hidrocarbonetos, glicosídeos, catequinas, quercitina, diterpenos, flavonoides, proantocianidina, canferol e açúcares.

Ação

Antioxidante contra os radicais livres, melhora as propriedades fluídicas do sangue, diminuindo sua viscosidade, normaliza a oxigenação do cérebro e dos tecidos, previne úlceras varicosas, microvarizes, protege o organismo contra o cansaço físico e mental, inibe a destruição do colágeno; atua no distúrbio circulatório do cérebro, perda de memória e diminuição da capacidade auditiva intelectual devido à má irrigação cerebral; previne a isquemia angiopática diabética, flebites e processos vasculares degenerativos de fundo diabético.

Propriedades

Possui propriedade antiagregante plaquetária, preventiva e curativa contra agressões endógenas e exógenas, tais como oxidações pela presença dos radicais livres; é anti-inflamatória, previne o envelhecimento, atua nos processos trombóticos, na circulação arterial venosa e capilar, protege contra a insuficiência vascular periférica, combate a peroxidação lipídica das membranas sobre os radicais livres, inibe a destruição do colágeno, ativa o metabolismo energético das células, aumentando o consumo de glicose e oxigênio, influenciando no aumento da síntese da adenosina trifosfato (ATP) em nível cerebral.

Indicações

Tratamento profilático do envelhecimento das células, inibição da destruição do colágeno pelos radicais livres, na prevenção e tratamento das microvarizes, úlceras varicosas, artrite, cansaço dos membros inferiores causados pela deficiência de oxigênio, previne o edema cerebral, previne e trata a isquemia cerebral ou periférica indicada na vertigem, deficiência auditiva, perda de memória, dificuldade de concentração e labirinto. Não há contraindicação.

Dosagens

Extrato seco: 120 a 160mg ao dia; em cápsulas 200 a 300mg, três vezes ao dia, antes das refeições.

68
Ginseng coreano
(Panax ginseng)

Parte utilizada

Raiz.

Constituintes

Glicosídeos, anilase, terpenos, enzimas, amido, saponinas, tônico estimulante, aminoácidos, cistina, lisina, taurina, histidina, arginina, glicina, serina, glutamina, treonina, alanina, leucina, valina, isoleucina, ácido aspártico, ácido glutâmico, sais minerais, ferro, cálcio, sódio, potássio e fósforo, ácido nicotínico, cobre, cobalto, colina, magnésio, ácidos graxos, vitaminas A, B1, B2, B6, B9, B12, C e E.

Ação

Tônico estimulante, polivitamínico, estimulante do sistema nervoso central, estimula o apetite, regula a pressão arterial sanguínea severa, revitaliza o físico e o psíquico, tônico cardíaco e pulmonar, febrífuga, cicatrizante, baixa e controla o colesterol no sangue, é detergente, umectante, regenerador celular, tônico capilar e analgésico.

Propriedades

É famoso em todo o oriente por suas propriedades medicinais. Previne a arteriosclerose, a depressão e o estresse, aumenta as funções cerebrais e é hipotensor. Protege o sistema circulatório, potencializa a ação da insulina controlando o diabetes II e prevenindo a hipoglicemia. Exerce importantes e vitais funções no organismo na formação celular, na proteção das células hepáticas, estimulando a desintoxicação orgânica. Regula todo o sistema nervoso, ativando a memória e atua na renovação dos glóbulos vermelhos e dos tecidos, favorecendo o metabolismo.

Indicações

É indicado para jovens que se submetem a esforços físicos, esportivos e escolares. É ótimo para a memória, em casos de envelhecimento precoce, que pode ser administrado com vitaminas e minerais, na depressão, na aterosclerose, no estresse, no diabetes, na fraqueza geral, no desgaste físico, cansaço facial, diminuição da resistência às infecções e na fadiga.

Contraindicações: na hipertensão severa e na gravidez.

Dosagens

Decocção: 2,5cm em 100ml de água. Ferver por três minutos.

Pó: de 5 a 10g ao dia.

Cápsulas: 200mg, duas a três vezes ao dia, com as refeições.

69
Glucomanan
(Amorphophallus konjac)

Parte utilizada

Raiz.

Constituintes

Polissacarídeos, composto por moléculas de D-glucose e D-manose.

Ação

Aumenta o volume em contato com a água e suas fibras agem preenchendo o estômago, fazendo com que o indivíduo sinta a sensação de plenitude gástrica. Diminui as taxas de colesterol, triglicerídeos e ácidos graxos livres e normaliza o diabetes.

Propriedades

Age como fibra na alimentação, aumenta a viscosidade dos alimentos em contato com os líquidos gástricos, preenche o estômago, fazendo com que diminua a fome. A digestão é gradual, ajuda a manter os níveis de açúcar normal sem altas variações sanguíneas. A propriedade de formar gel do glucomanan promove uma absorção, preenchendo o estômago, fazendo com que o indivíduo tenha a sensação de plenitude gástrica. Atua sobre as gorduras, reduzindo a taxa de colesterol, triglicerídeos, ácidos livres e normaliza os níveis de glicose no sangue.

Indicações

Obesidade comum, em suplementos em fibras, ajuda a eliminar o apetite, atuando com eficácia nos regimes de emagrecimento. Não há contraindicações.

Dosagens

Pó: 1g, se necessário aumentar para 2g, uma hora antes das principais refeições com dois copos de água.

70
Goiabeira
(Psidium guajava)

Parte utilizada

Folha.

Constituintes

Suas folhas encerram ricas virtudes medicinais, possuem grande fonte de vitaminas A, B1, B2, B5 e C, assim como os minerais: cálcio, ferro, fósforo e tanino.

Ação

Adstringente, anti-hemorrágico, sua maior ação é contra os edemas dos pés e pernas (MI), incontinência urinária e hemorragias uterinas.

Propriedades

Promove o metabolismo das proteínas e previne a acidez dos carboidratos durante a digestão, edemas dos membros inferiores, gastrointerite e hemorragias uterinas.

Indicações

Nervosismo infantil, choro constante, cólera, incontinência urinária, indigestão, gastrointerite e em todos os problemas digestivos. Não há contraindicações.

Dosagens

Infusão: 2 a 4g para uma xícara de água, duas a três xícaras ao dia. Para crianças deve ser 20g do líquido pronto, até quatro vezes ao dia, dependendo da necessidade.

71
Guaçatonga
(Casearia sylvestris)

Parte utilizada

Folha.

Constituintes

Planta rica em flavonoides, ácidos graxos, óleos essenciais, terpenos e triterpenos, resinas, tanino, saponinas e antocianosídeo.

Ação

Antisséptica, diurética, tônico, fungicida, depurativo, cicatrizante, antiúlcera, antimicrobiana e estimulante.

Propriedades

Atua nas úlceras gástricas e duodenais, reduz o ácido clorídrico do estômago e atua na digestão e absorção. Previne e protege a mucosa gástrica contra o estresse, aumenta a diurese e estimula o metabolismo. Tonifica a pele, ativa a circulação e previne as inflamações. Exerce um processo de cicatrização, tanto interna quanto externa, não interfere no processo de digestão dos alimentos e nem na absorção das proteínas.

Indicações

No herpes simples, hidropisia, úlcera gastrointestinal, eczemas, pruridos, aftas, picadas de insetos, distúrbios da pele e da orofaringe.

Dosagens

Decocção: uma colher de sopa por xícara de água. Tomar duas vezes ao dia.

Tintura: de 5 a 15ml por dia. Pode ser usada em picadas de insetos.

72
Guaco
(Mikania glomerata)

Parte utilizada

Folha.

Constituintes

Guacosídeo, substância amarga, guacina, tanino, resinas, cumarinas, saponinas, óleo essencial, diterpenos, sesquiterpenos e glucosídeos.

Ação

Depurativa, cicatrizante, febrífuga, diurética, broncodilatadora das afecções do aparelho respiratório, expectorante, antiasmático, diurético, antirreumático, emoliente e tônico peitoral.

Propriedades

Estimula a secreção e elimina a urina, facilita a fluidificação traqueobrônquica, estimula a secreção e sua expulsão pelo reflexo da tosse. Atua no relaxamento da musculatura lisa das vias aéreas, brônquios e bronquíolos e controla a temperatura com eficiência.

Indicações

Inflamação da garganta, tosse rebelde, febre, bronquite, rouquidão, asma, em todas as infecções do sistema respiratório, ferimentos, pruridos, eczemas, reumatismo e gota. Não há contraindicações.

Dosagens

Infusão: 2 a 4g para uma xícara de água. Tomar duas vezes ao dia. Para problemas respiratórios, adoçar com mel e tomar quente à noite ou quando houver necessidade.

Xarope: de 10 a 40ml ao dia, para adulto; criança, a metade da dose.

73
Guanxuma
(Sida spinosa)

Parte utilizada

Flor e folha.

Constituintes

Mucilagem, ácidos fixos, sais minerais, heterosídeos sapônicos, ácidos orgânicos, gomas, tanino, saponinas e triterpenos.

Ação

Anti-hipertensiva, adstringente, anti-inflamatória, emoliente, estimulante digestiva e tônica.

Propriedades

Suas propriedades são excelentes e possuem a capacidade de reter água pela presença de gomas e mucilagens, o que confere uma ação emoliente e umectante. Eficaz no tratamento da hipertensão severa, atua na bronquite e coriza, estimulante digestivo, anti-inflamatória, ótima no tratamento da oleosidade da pele, tonifica, eliminando as impurezas da pele e do sangue.

Indicações

O chá da raiz da guanxuma-branca cura a hipertensão arterial. Tomando um litro de chá por água durante o dia, é ótimo nos problemas digestivos e inflamações em geral. O chá das folhas e flores combate a febre, bronquites, afecções pulmonares, catarros, tosses, dores no ventre, disenterias, câimbra de sangue intestinais, indigestão, verminoses, icterícia, anuria, menstruação dolorosa e cura inflamações internas em geral. Não há contraindicações.

Dosagens

Infusão: 2 a 4g das folhas e flores para uma xícara de água, três vezes ao dia.

Decocção: 20 a 50g da raiz para um litro de água. Tomar diariamente, enquanto houver a necessidade.

74
Guar
(Cyamopsis tetragonolobus)

Parte utilizada

Semente.

Constituintes

Constituído essencialmente de fibras, proteína e guarano, mucilagens, gelatina, saponina, tanino, ácido orgânico, polissacarídeos não iônicos, ácidos fixos, heterosídeos, terpenos, galactomanano, goma, D-galactosídeos e D-manosídeo.

Ação

Tônico digestivo, emoliente, estimulante, anti-inflamatório, adstringente, digestivo, laxante suave, reduz o apetite, atua no metabolismo dos lipídios e colesterol, reduzindo seus níveis e beneficiando os pacientes cardíacos e diabéticos tipo II. Auxilia o obeso na redução do apetite para controle da dieta, eliminando substâncias tóxicas do organismo.

Propriedades

Possui capacidade de reter água, formando uma massa gelatinosa no estômago, reduzindo a sensação de fome. Quando ingerido com bastante água uma hora antes das refeições, forma uma massa gelatinosa que aumenta a viscosidade do conteúdo gástrico, promovendo a redução na velocidade de esvaziamento do estômago, causando uma sensação de saciedade. O metabolismo dos lipídios promove um aumento na secreção de ácidos biliares, controlando os níveis de colesterol LDL e da glicose pós-prandial.

Indicações

Auxilia nos regimes de emagrecimento e constipação crônica.

Contraindicações: proibido a pessoas com diarreia e a menores de dez anos.

Dosagens

Pó: 1 a 2g, 30 minutos antes da refeição, com dois copos de água. Caso essa quantidade não resolva para inibir o apetite, tome 2g/dose.

75
Guaraná
(Paullinia cupana)

Parte utilizada

Semente.

Constituintes

Amido, goma, tanino, potássio e fósforo, cafeína, óleo fixo, resina, saponina, teobronina e fibras, ácido caprotânico, matérias resinosas, aromáticas e pépticas.

Ação

Estimulante do apetite, energético, tônico revigorante, afrodisíaco, estimulante e adstringente.

Propriedades

Possui propriedade tônica e recuperadora do organismo. A cafeína atua sobre o músculo estriado, promovendo grande produção de ácido láctico, aumentando o consumo de oxigênio e fortalecendo a contração muscular. Atua na circulação, promove uma vasodilatação coronária, atua sobre o metabolismo celular e no sistema nervoso central.

Indicações

Atua no esgotamento, enxaqueca, perturbações gastrointestinais, flatulência, diarreia, dispepsias, fermentação intestinal, depressão nervosa e principalmente atua energeticamente nos casos de desânimo, astenia e apatia.

Contraindicação: na hipertensão e em caso de úlcera péptica.

Dosagens

Pó: Adultos: de 1 a 2g, duas ou três vezes ao dia. Crianças: a metade da dose.

76
Hamamelis
(Hamamelis virginiana)

Parte utilizada

Casca e folha.

Constituintes

Hamamelina, tanino, óleo essencial, saponinas, mucilagem, resinas, flavonoides, quercetol, glicosídeos, canferol, ésteres, ácido gálico, hamameloses livres, ácidos graxos, flobafenóis, oxalato de cálcio, oleína e palmitina, hamametanino, óleo essencial composto de grupamento carbonila.

Ação

Antidiarreica, anti-hemorrágica, descongestionante, adstringente, hemostática, tônica, vasoconstritora e anti-inflamatória.

Propriedades

Propriedade adstringente, que precipita as proteínas das células superficiais das mucosas e tecidos que revestem e protegem nosso corpo, diminui as secreções e protege contra as infecções. Possui propriedade hemostática, que atua nas hemorragias de origem capilar e na diarreia sanguinolenta ou não. É ótimo no tratamento de queimaduras, por diminuir a sensibilidade e a dor da pele. Regulariza a circulação através da ação vasoconstritora periférica, favorece a circulação de retorno, dando equilíbrio entre a circulação arterial e venosa e acalma as dores nos membros inferiores.

Indicações

Hemorroidas externas e internas, hemorragia nasal ou uterina, flebites, menorragia, fissura anal, metrorragia, hemoptises, urina sanguinolenta, vômito de sangue, varizes e úlceras varicosas, menstruação excessiva, febres, contusões e torções. Não há contraindicações.

Dosagens

Infusão: 5g de folhas picadas para uma xícara de água. Tomar três vezes ao dia.

Tintura: quinze gotas, três vezes ao dia.

Fitocosméticos: loções tônicas e pós-barba, géis refrescantes, cremes e loções para as peles oleosas, pomadas, xampus e extrato glicólico.

77
Hera
(Hedera helix)

Parte utilizada

Folha.

Constituintes

Glicosídeos, heredina, saponinas, hederosaponina, pectina, tanino, resina, flavonoides, rutina, quercitina, iodo, ácido cafeico, ácido fórmico, ácido málico, esteróis, clorogênico e ácidos terpênicos.

Ação

Antinevrálgica, antiespasmódica, emoliente, anticelulítica, analgésica, cicatrizante, descongestionante tópico, tônica lenitiva e vasodilatadora.

Propriedades

Vasoconstritor, atua como vasodilatador, estimulando a circulação nas sequelas da flebite. Controla a pressão arterial; estimulante usada nas queimaduras, nas dores reumáticas e gota. Previne a litíase renal e biliar e atua nos problemas respiratórios, como a asma, bronquite, laringite, leucorreia e inflamações em geral.

Indicações

Uso interno: asma, bronquite, laringite, hipertensão, nevralgia, litíase renal e biliar, gota, leucorreia e sequela de flebite escrufulosa.

Uso externo: dores reumáticas, queimaduras e ferimentos.

Fitocosméticos: óleo e creme para massagens, loções, pomadas, extrato glicólico e xampus para cabelos normais ou para escurecer os cabelos.

Contraindicações: para gestantes, nutrizes e criança portadora de hipertireoidismo.

Dosagens

Infusão: uma colher de chá do pó para uma xícara de água, três vezes ao dia.

Decocção: 200g de folhas frescas para um litro de água. Aplicar em compressas no local da dor.

78
Hibisco
(Hibiscus sabdariffa)

Parte utilizada

Flor.

Constituintes

Mucilagens, ácido tartárico, ácido cítrico, ácido málico e ácido hibisco. Grande quantidade de ácido oxálico, pigmentos, flavonoides (hibiscina, hibicetina), glicosídeos, antocianinas, antocianidinas, ácidos orgânicos, vitamina C, proteínas, carotenos, oxalato de potássio, carboidratos; possui uma fonte de corante preto.

Ação

Devido à alta concentração de antocianina, possui ação antioxidante e anti-inflamatória. As antocianidinas proporcionam um efeito vasodilatador periférico, efeito calmante nas membranas mucosas que revestem o aparelho respiratório e digestivo. Tem ação aromatizante, antiespasmódico, favorece a digestão e é laxante suave e diurético.

Propriedades

Sua maior propriedade é de diminuir a pressão da parede dos vasos sanguíneos, melhorando a circulação. Possui o cálcio, que é importantíssimo para os ossos, sendo um facilitador na perda de peso. Atenua os espasmos e cólicas uterinas e gastrointestinais, aumenta a diurese e favorece a digestão lenta e difícil. A grande quantidade de mucilagens proporciona propriedades demulcentes, úteis na constipação e irritação das vias respiratórias. Possui propriedade anti-hipertensiva e calmante, seu constituinte mais importante é o hibisco e ácido orgânico.

Indicações

Combate os radicais livres, reduz a ansiedade, é diurético e combate a retenção de líquidos. É emagrecedor, reduz a absorção de carboidratos, aumentando a eliminação de gorduras, facilita a digestão e regula o intestino. Protetor da mucosa estomacal, intestinal, varizes, hemorroidas e hipotensor suave.

Contraindicação: não é recomendado ao cardíaco e durante a gestação e lactação.

Dosagens

Decocção: uma colher rasa de sopa das flores, para dois copos de água. Ferver por 5 minutos, tomar frio ou quente, uma ou duas vezes ao dia.

79
Hipérico
(Hypericum perforatum)

Parte utilizada

Folha e flor.

Constituintes

Flavonoides, hiperosídeo, quercitina, rutina, quercirina, corante vermelho, saponinas, hipericina, tanino, resina, óleo essencial, pectinas, glicosídeos, catequinas, fitosteróis, beta-sitosterol, caroteno, vitaminas C e P, princípio amargo.

Ação

Colagoga, adstringente, diurética suave, antidepressiva, calmante, anti-irritante, antisséptica, vermífuga, cicatrizante, sedativa, antidiarreica, anti-inflamatório e vulnerário.

Propriedades

Antidepressiva, tonificante e eliminador de impurezas intercelulares. Inibe a monoaminoxidade, estimula a circulação sanguínea em geral e tonifica o coração e os nervos cerebrais. Atua sobre a parte digestiva, estômago, intestinos e fígado, estimulando as secreções do suco gástrico. É um excelente calmante para as pessoas nervosas ou depressivas e atua nas doenças reumáticas e infecções pulmonares.

Indicações

Enurese infantil, insuficiência hepática e renal, diarreias crônicas, acidez estomacal, insônia, nervosismo, depressão, hemorroidas, má digestão, infecções pulmonares e intestinais. Não há contraindicações.

Dosagens

Infusão: duas colheres de chá das flores para uma xícara de água, três vezes ao dia. Cápsulas: de acordo com a necessidade.

Fitocosméticos: xampus, cremes, loções, gel para banho e óleo infantil.

80
Hortelã-pimenta
(Mentha piperita)

Parte utilizada

Folhas e flores.

Constituintes

Possui 70% de óleo essencial rico em mentol, pulegona, piperitona, mentona, cineol, princípio amargo, traços de nicotinamida, terpenos, flavonoides: mentoside, isoroifolina, luteolina, cetonas, tanino, limoneno, ácido p-cumarínico e rosmarínico, mentofurano, vitaminas C e D, ácido cafeico, ácido ferúlico e clorogênico, metilacetato, jasmone, sesquiterpenos: criofileno, bisabolol, carotenoides, colina, betaína e minerais.

Ação

Carminativa, analgésica, estimulante, estomáquica, antiespasmódica, antisséptica, aromatizante, colagoga, antioxidante, vasoconstritora, periférica e eupéptica.

Propriedades

Anestésica, exerce propriedade estimulante da secreção estomacal, intestinal e expectorante. Possui atividade antisséptica e diminui o tônus da cárdia, facilitando a eliminação de gases no nível do tubo digestivo. O óleo essencial age sobre as terminações nervosas da parede gástrica, estimula o fluxo biliar e a produção da bílis, e é útil nos casos de inflamação das mucosas brônquicas. O mentol excita os nervos sensoriais, diminuindo a sensação de dor.

Indicações

Atua na tuberculose, palpitação cardíaca, asma brônquica crônica, favorece a expectoração, alivia dores da sinusite, dor de dente, nevralgia facial, fadiga, atonia digestiva, gastralgias, cólicas, flatulências, vômito das gestantes, intoxicação gastrointestinal, enxaqueca, palpitações, tremores, laringite e tonturas.

Dosagens

Infusão: 2 a 4g de folhas frescas em uma xícara de água, tomar de duas a três vezes ao dia.

Tintura: de dez a quinze gotas na água de três a seis vezes ao dia, de acordo com a necessidade. Em caso de dor de cabeça ou irritação da pele, fazer também massagens com a tintura local.

81
Jalapa
(Exogonium officinale; Exogonium purga)

Parte utilizada

Tubérculo.

Constituintes

Matéria mucilaginosa e resinosa, é constituída de jalapina, saponina, amido, couvolvulina, glicosídeos, oxalato de cálcio, ipuranol, hidroxicumarina, ácidos graxos essenciais, esteróis, ácido tíglico, sitosterina, ácido palmítico e ácido esteárico.

Ação

Purgativa drástica, hidragoga, laxativa, em caso de edema promove uma situação favorável para eliminação acentuada de água.

Propriedades

Trabalha em nível de intestino, exercendo função purgativa, pela presença de elevado teor de resinas. No intestino delgado, na presença de bílis, o glicosídeo se desdobra em açúcar e a aglicona se desdobra liberando o ácido graxo livre correspondente, que irrita a mucosa do intestino, aumentando o peristaltismo, o que facilita a evacuação e, em caso de edema, passa a eliminar água do intestino.

Indicações

Constipação crônica, estados congestivos, inflamação do aparelho respiratório, problemas cardíacos e renais, que causam hidropisia.

Dosagens

Pó: 1 a 2g, duas vezes ao dia.

Tintura mãe: 30 gotas, três vezes ao dia, com água.

82
Jurubeba
(Solanum paniculatum)

Parte utilizada

Folha, fruto e raiz.

Constituintes

Isojurubidina, alcaloides, principalmente na raiz e raramente nas folhas, saponinas esterólicas nitrogenadas, paniculina e jurubina, ácidos orgânicos, ceras, mucilagens, resinas juribina e jurubepina, salonina, agliconas, glicosídeos, paniculoninas A e B.

Ação

Antianêmico, estimulante das funções biliares, febrífuga, colagoga, cicatrizante, emenagoga, tônica diurética, estomáquica e descongestionante do sistema digestivo.

Propriedades

Estimulante das funções digestivas, descongestionante, eficaz nas afecções do estômago, baço, fígado e rins, aumenta a secreção da urina e ativa as células cardíacas, dando bom suporte para o coração. Desobstruente poderosa, é diurética e tônica, empregada no tratamento de ingurgitamento do fígado, inflamações do baço e da hepatite. Possui a capacidade de eliminar o colesterol total e LDL, aumenta o HDL e diminui as taxas de triglicerídios.

Indicações

Debilidade, anemia, prisão de ventre, icterícia, cistite, hepatite, diabetes, impaludismo, inapetência, atonia gástrica, febres biliosas, dispepsia, clorose, hidropisia, catarro na bexiga, colesterol e triglicerídios, úlceras e feridas. Não tem contraindicação.

Dosagens

Decocção: 20g de folhas ou raízes para um litro de água, após as refeições, de três até cinco xícaras ao dia.

Tintura: uma colher de sobremesa de 8 em 8 horas.

83
Kelp
(Macrocystis pyrifera)

Parte utilizada

Toda a planta.

Constituintes

Ácido algínico, biotina, bromo, inositol, colina, cálcio, cobre, iodo, PABA, potássio, selênio, sódio, zinco, enxofre, vitaminas A, B1, B2, B5, B6, B9, B12, C e E.

Ação

Possui ação benéfica aos nervos sensoriais, membranas em torno do cérebro, espinha dorsal e tecido cerebral, tem atividade antibacteriana, mata vírus do herpes, baixa a taxa de colesterol total, controla a pressão arterial, melhora o funcionamento imunológico, possui alto teor de iodo que controla o hipotireoidismo.

Propriedades

É um tipo de alga que pode ser ingerida crua, mas normalmente usa-se seca granulada, ou moída até virar pó. A alga kelp em pó é usada como condimento que acrescenta sabor. É uma fonte rica em vitaminas, minerais e muitos elementos-traço. Usa-se no tratamento da tireoide, devido ao seu alto conteúdo de iodo; pode-se usar diariamente substituindo o sal ou como suplementos. Adquire-se em lojas de produtos naturais e em forma de comprimidos.

Indicações

Obesidade, bócio, úlceras, para quem tem deficiência de vitaminas e minerais, atua na tireoide, artérias, unhas, protege contra as radiações.

Contraindicação: o profissional de saúde deve certificar-se, através de exames de laboratório, se o indivíduo não tem hipertireoidismo; neste caso não poderá usar esta alga, porque ela possui uma taxa muito alta de iodo. Antes de usar deve ter certeza, porque pode agravar mais o problema.

Dosagens

Não é necessária, por não se tratar de remédio; usa-se como alimento.

84
Laranja-amarga
(Citrus aurantium)

Parte utilizada

Flor e fruto.

Constituintes

Auranciamarino, hesperidina, glicosídeos que por hidrólise se desdobram em glicose, hesperetina, isoesperidina, ácidos auranciamárico e hespérico, mucilagem, óleo essencial, compostos aminados como: octopamina, tiramina, N-metiltiramina e hordenina alcaloide.

Ação

Nas gripes benignas, resfriados, asma, alergias, problemas inflamatórios, tem ação estimulante cardíaco, estimula a lipólise, é um broncodilatador e vasodilatador, regula a constrição dos vasos sanguíneos e provoca vasoconstrição da musculatura lisa.

Propriedades

Estimulante, diaforético, sedativo, antiespasmódico e digestivo. Seu princípio ativo sinefrina é uma amina adrenérgica, que possui aumento da termogênese e consequente perda de peso. Sua propriedade restringe-se aos frutos imaturos não comestíveis. Seu extrato comercializado é extraído somente desses frutos devido à obtenção de altos níveis de agentes termogênicos, que estimulam a atividade mitocondrial das células do tecido adiposo marrom, aumentando a massa muscular magra.

Indicações

Nas alergias, resfriados, inflamações, dieta de emagrecimento e como energético nos exercícios físicos. Estimula o sistema nervoso central e aumenta a recaptação de oxigênio.

Contraindicações: em paciente hipertenso, diabético, na gravidez ou na lactação.

Dosagens

Maceração: 2g das flores para uma xícara de água, duas vezes ao dia. Para casos respiratórios, usar à noite, quente e adoçado com mel.

85
Linhaça
(Linum usitatissimum)

Parte utilizada

Semente.

Constituintes

Glicosídeos, mucilagem, ceras, ácidos saturados, ácidos insaturados, como o oleico, linoleico e linolênico, tanino, goma, ômega 3, lignina, fibras solúveis e insolúveis, cálcio, manganês, silício, ferro, fósforo, zinco, magnésio, potássio e proteínas. Seu óleo é fonte natural de ômega 3, 6 e 9, vitamina E, gorduras polissaturadas e taglandina.

Ação

É emoliente, antirreumática, antidepressiva, antianêmica, antiartrítica e elimina as toxinas. Possui um óleo que é capaz de bloquear os hormônios femininos, quando estes se encontram em excesso no organismo. Previne a formação de tumores, correndo menos risco de desenvolver câncer, principalmente de mama e de pele. Atua na psoríase, eczema, espinhas e manchas.

Propriedades

Anti-inflamatória, atua no controle de inflamações, tumores de cólon, problemas ginecológicos, da pele e unhas, eficaz nas doenças ósseas, como osteoporose, reumatismo e artritismo, e na gastrite. É laxante suave, melhora o trânsito intestinal e atua no sistema cardiovascular, prevenindo ou eliminando a aterosclerose, o colesterol, a esclerose múltipla, trombose coronária, hipertensão e arritmia cardíaca. Auxilia as plaquetas na prevenção da formação de coágulos sanguíneos, previne a anemia e o envelhecimento precoce, importante papel no metabolismo do cálcio, exerce auxílio aos rins para excretar água e sódio e recupera a fadiga.

Indicações

Acidez estomacal, controle da obesidade, prisão de ventre, fadiga e ajuda a expulsar os gases gástricos. Age em doenças degenerativas, depressão, problemas cardíacos, câncer de mama, de próstata, de cólon e pulmões, dor de cabeça originada pelo cansaço físico do fim do dia, na diabetes, inflamação do estômago, intestino, bexiga e garganta.

Dosagens

Alimentação: Duas colheres de sopa ao dia de linhaça dourada (o melhor é moída). Pode usar na vitamina com leite e também tem o óleo. Tomar 500mg, três vezes ao dia.

86
Losna
(Artemisia absinthium)

Parte utilizada

Folhas.

Constituintes

Princípios amargos, absintina, anabsintina, artabsina e santonina, tanino, fitosterol, quebrachital, carotenoides, flavonoides, ácido orgânico, ácido málico, ácido succínico, ácido tânico, santona, óleo essencial, tuiona, camazuleno, felandreno, borneol, resina, ceras, vitaminas C e B6, compostos lactônicos, sesquiterpenos, ácido palmítico, ácido nicotínico e óleo volátil.

Ação

Afrodisíaco, emenagoga, antisséptica, estomáquica, estimulante do apetite, vermífuga, digestiva e tônica.

Propriedades

Substância amarga, aromática, tônica, estimulante do processo digestivo em geral, óleo volátil excitante da mucosa bucal e o suco gástrico, aumentando a secreção biliar e pancreática. Atua no intestino, curando rapidamente a flatulência e as toxinas, limpando os intestinos, aliviando as dores gastrintestinais e melhorando a circulação geral e o peristaltismo intestinal. Possui propriedade estimulante sobre o útero.

Indicações

Para eliminar os parasitas intestinais, atua na hidropisia, na amenorreia, estimulante, aperiente, enfermidade nervosa, cólicas diarreicas, dispepsia, falta de apetite, gastralgia, problemas nervosos, contusões, transtornos biliares e perturbações gástricas em geral.

Dosagens

Maceração: por 1h, 3g das folhas picadas, para uma xícara de água fria. Tomar uma xícara após almoço e jantar.

Homeopatia: para o sistema nervoso, ataque epilético, nevralgia facial, principalmente ao lado direito, vertigem, tremores nervosos que precedem o ataque com tendência de cair para trás, com delírio, alucinação, perda da consciência, contração facial, dor espasmódica, náuseas, dor de estômago, azia e dispepsia, na pressão ao respirar, frequentes bocejos, sono irregular e perturbado.

Atenção: o uso da homeopatia é só com prescrição médica.

87
Malva-silvestre
(Malva sylvestris)

Parte utilizada

Folha, flor e raiz.

Constituintes

Mucilagens contendo pentoses, hexoses, ácido galacturônico, ácidos fenólico e clorogênico, cafeico, ácido p-cumárico, antocianinas, malvina, malvidina, tanino, aminoácidos, lisina e leucina, flavonoides, resina, oxalato de cálcio e vitaminas A, B1, B2 e C.

Ação

Anti-inflamatória, adstringente, emoliente, laxante suave, demulcente, liéquica e vulnerária. Os taninos atuam como adstringente reduzindo as secreções em geral.

Propriedades

Sua principal propriedade é a riqueza da mucilagem que contém esta planta, pela qual dá proteção aos tecidos inflamados, auxilia na recuperação e cicatrização das lesões nas mucosas, possui atividade lenitiva sobre as mucosas brônquicas eliminando a tosse e o catarro.

Indicações

Uso interno: é indicado em todos os tratamentos de problemas respiratórios, como tosse com catarro, bronquite, laringite, faringite, aftas, inflamações da boca e garganta, problemas gastrintestinais, gastrite e úlceras.

Uso externo: úlceras, erupções cutâneas, dermatoses, furúnculos, abscesso e picadas de insetos; usar em compressas com o chá da raiz.

Dosagens

Infusão: 3 a 5g das folhas para uma xícara de água. Tomar uma xícara, três vezes ao dia.

88
Marcela-do-campo
(Achyrocline satureioides)

Parte utilizada

Flor.

Constituintes

Flavonoides: quecitina, luteolina, galangina, isognafalina; substância amarga e aromática, tanino, ésteres da caleriamina com ácido cafeico e ácido protocatéquico, óleo essencial, saponinas triterpênicas, ácido centipédico e ternatina.

Ação

Antiviral, antiespasmódica, protetora da mucosa do estômago, antisséptico, antidiarreica, anti-inflamatório, calmante, bactericida, sedativa, estomáquica, antialérgica, emenagoga, adstringente, relaxante e digestiva.

Propriedades

Estimulante da circulação, reduz a fragilidade capilar, aumentando a circulação periférica, antiespasmódico e expectorante. Atua sobre todas as doenças gástricas, como perturbações digestivas, males em geral do estômago, fígado, pâncreas e intestino e auxilia no tratamento da obesidade.

Indicações

Diarreia, menstruação dolorosa, má digestão, azia, para acalmar a acidez estomacal, icterícia, aterosclerose, colesterol, cólicas abdominais, cistite, nefrite, colecistite, dores de cabeça, flatulência, contração muscular brusca e inflamação.

Fitocosméticos: estimula a circulação capilar, clareia os cabelos, protetor solar e previne a queda dos cabelos.

Dosagens

Infusão: 10g de flores para uma xícara de água, de três a quatro xícaras ao dia; como digestivo, tomar após as refeições.

89
Mastruço
(Chenopodium ambrosioides)

Parte utilizada

Toda a planta.

Constituintes

Seu princípio ativo, ascaridol, cineol, produz óleo essencial, vitaminas, sais minerais e glicosídeos.

Ação

O ascaridol tem ação contra os nematelmintos, especialmente áscares lumbricoides; e o cineol, cuja ação é anti-inflamatória e expectorante.

Propriedades

Suas propriedades são antimicrobianas, cicatrizantes, vermífuga, anti-inflamatória e é ótimo para o diabético. Na bronquite, tosses catarrais, coqueluche, problemas pulmonares, problemas renais, anemia e fraqueza estomacal, justificam seu uso tanto interno como externo.

Indicações

Uso externo: feridas, úlceras, dores musculares, reumáticas, traumatismos e contusões. Para machucadura ou contusões, usa-se compressas da planta, toda socada.

Uso interno: para vermes deve-se usar só uma vez ao dia e pode ser suco da planta.

Dosagens

Maceração: uma colher de sopa da planta picada para uma xícara de chá de água, duas a três vezes ao dia.

Tintura: 15 gotas, até três vezes ao dia.

Alimentação: pode-se usar junto como salada; ajuda na cura de qualquer machucadura ou doenças pulmonares.

90
Melissa
(Melissa officinalis)

Parte utilizada

Folhas e flores.

Constituintes

Ácido ursólico e oleânico, tanino, óleo essencial, aldeído insaturado, alcoóis, citranelol, linalol, geraniol, matéria resinosa, glicosídeos, flavonoides, sesquiterpenos, cariofileno, ácidos triterpênicos, ácido rosmarínico, cafeico, clorogênico e sesquiterpenos.

Ação

Sedativa, estomáquica, carminativa, tônica, para o coração e para o sistema circulatório, promovendo dilatação periférica nos vasos e controlando a pressão sanguínea dos membros inferiores. Usa-se contra o sistema nervoso, é diurética, hipotensora e anti-inflamatória.

Propriedades

Tranquilizante, indutor do sono, favorece a secreção biliar, tônico cardíaco, e possui atividade sedativa sobre o nível do sistema límbico, importante no controle e integração das emoções. Analgésico, alivia as dores, ótimo regulador das secreções gástricas em geral, é hipotensor e age nos distúrbios menstruais.

Indicações

Nevralgias, espasmos, indigestão, má circulação, é o remédio que atua na depressão, crises nervosas, taquicardia, histerismo, melancolia, perturbações gástricas, espasmos, indigestão, enjoos, gases e problemas hepatobiliares.

Dosagens

Infusão: uma colher de sopa de folhas ou flores picadas para uma xícara de água. Tomar até três vezes ao dia.

91
Noz-de-cola
(Cola nítida; Cola vera)

Parte utilizada

Amêndoa.

Constituintes

Alcaloides: cafeína e teobromina; mucilagens, amido, compostos polifenólicos, especialmente catequina e epicatequina, matéria gordurosa; colastina, princípio cristalizado que só existe na noz fresca ou estabilizada, pectina, tanino, minerais, açúcares, betaína e colina.

Ação

Energético do sistema nervoso central, reconstituinte, antidepressiva, tônico estimulante cardíaco, antidiarreico, diurético, antianêmico, convalescente nas moléstias graves, antiasmático, ativa a produção do suco gástrico, estimula a capacidade física e intelectual em estudantes e pessoa que requer muita concentração em suas atividades.

Propriedades

Regula a circulação e o ritmo cardíaco, atua sobre o coração e na permeabilidade venosa e capilar, e promove o apetite e a digestão. Combate o alcoolismo, excelente tônico das anemias, melhora a asma e suporta prolongados exercícios físicos sem alimentar-se e sem se sentir fatigado. Melhora o organismo em geral, aumenta a resistência e atua no sistema nervoso central, aumentando a capacidade física e intelectual de pessoas que usam muito o cérebro.

Indicações

Quando houver necessidade de um suprimento energético, nos casos de desgaste físico e mental provocado pelo estresse, na depressão, anorexia, melancolia e em todas as situações de grande gasto de energia.

Contraindicações: crianças, gestantes, cardíacos, hipertensos e em caso de úlcera gastroduodenal.

Dosagens

Tintura: de 1 a 4ml, três vezes ao dia.

Pó: de 1 a 3g, três vezes ao dia.

92
Pata-de-vaca
(Bauhinia forficata)

Parte utilizada

Folha.

Constituintes

Alcaloides, tanino, cumarina, esteroides, rutina, quercitina, flavonoides, glicosídeos, sais minerais, pinitol e ácidos orgânicos, cardiotônicos, terpenoides, esteroides, triterpenos e glicoproteína.

Ação

Hipoglicemiante, diurética, antidiarreica, hipolipemiante, analgésica, adstringente, anti-inflamatória e antidermatosa.

Propriedades

Diminui o teor de açúcar no sangue e na urina, assim como pode reduzir a gordura no sangue. Possui propriedades de ação sobre a permeabilidade capilar, atua na diabetes tipo II, prisão de ventre, nos males do estômago e rins, cálculos renais, na diarreia, feridas e estado nervoso.

Indicações

Diabetes, permeabilidade capilar, obesidade e elefantíase. Não há contraindicações.

Dosagens

Infusão: 10g por xícara de água, três a seis vezes ao dia.

Pó: em cápsulas, para o diabético, 300mg, três vezes ao dia.

93
Poejo
(Mentha pulegium)

Parte utilizada

Ramo florido e folha.

Constituintes

Erva aromática, contém óleo essencial, óleo volátil, tanino, óleo balsâmico, carminativo, tônico, flavonoides, mentona e piperitona.

Ação

Toda sua planta contém elementos excelentes para a cura de resfriados, febres, catarros, problemas respiratórios, rouquidão, bronquites e tosses.

Propriedades

Purifica o sangue, atua nos órgãos genitais femininos e em todos os problemas menstruais. Atua no sistema broncopulmonar, no estômago e intestinos, eliminando os gases retidos através da alimentação. É um excelente chazinho para acalmar a tosse e o choro das crianças.

Indicações

Tosses rebeldes, principalmente em criança pequena, gripes, catarros, elimina os gases e dores do estômago, úlceras da pele, gota e problemas menstruais.

Contraindicações: estimula as contrações uterinas, motivo pelo qual não é permitido seu uso na gravidez. Também não se aconselha a pessoas com problemas de fígado e rins.

Dosagens

Infusão: 2 a 4g para uma xícara de água, três vezes ao dia. Se for para a parte respiratória, usar mel para adoçar; para outros problemas, usar sem adoçar e tomar este chá só enquanto persistir o problema.

94
Psyllium
(Plantago psyllium)

Parte utilizada

Semente.

Constituintes

É uma mucilagem extraída do plantago que absorve consideráveis quantidades de água, formando um gel que promove saciedade. Seus principais constituintes são seus óleos L-arabinose, D-xilose, ácido galacturônico, pequena quantidade de amido, fibra mucilaginosa oleosa e amido.

Ação

Laxante suave, emoliente, retarda o envelhecimento gástrico e coadjuvante no pós-operatório. Atua na constipação, facilitando o trânsito dos resíduos alimentares no intestino e controla o peso. Associada a uma dieta hipocalórica, reduz o colesterol do sangue.

Propriedades

Absorve considerável quantidade de água, aumenta o volume fecal, há uma redução da pressão intraluminal, reduzindo a possibilidade de formação de divertículos; retarda o esvaziamento gástrico e a absorção de glicose a partir do intestino delgado. Por sua indigestibilidade, as fibras alcançam o cólon praticamente inalterado, causando aumento no volume de conteúdos colônicos, com consequente ativação da motilidade propulsora. O psyllium normaliza o tempo de trânsito intestinal, aumentando ou diminuindo este tempo conforme a necessidade, auxiliando por seus óleos laxativos que se fazem presentes, e promove o amolecimento das fezes, auxiliando na evacuação em caso de hemorroidas. Reduz os níveis de colesterol total e LDL, quando ingerido antes das refeições.

Indicações

Cólicas intestinais e abdominais, colite, flatulências, gases, diverticulite, laxante suave, gravidez, hemorroidas, sensibilidade, pessoas com constipação crônica, normaliza o trânsito intestinal e inibe o apetite.

Contraindicações: na diabetes tipo II, na estenose e cólicas de origem desconhecida.

Dosagens

Infusão: 2 a 3g do pó com um copo de água antes das refeições, ou em cápsulas.

95
Quebra-pedra
(Phyllanthus niruri)

Parte utilizada

Parte aérea com flor, raiz e semente.

Constituintes

Várias espécies são usadas na medicina popular, mas a mais conhecida e mais ativa é a rasteira, que nasce sobre as pedras; parte utilizada são flores, raízes e sementes. Na semente contém ácido linoleico, ácido ricinoleico e linolênico. As folhas são compostas de ligninas, triterpenos, fenóis, glicosídeos, vitamina C, triacontonol, hipofilantina, quercitina, rutina; raiz, flavonoides, triterpenoide, estradiol e esteroides.

Ação

Colagoga, antiespasmódica, anticancerígena, lipolítica, hipoglicemiante, diurética, antibacteriana e hepatoprotetora.

Propriedades

Possui uma ação protetora contra substâncias citotóxicas, ação hipoglicemiante, antibactericida, anticanceriana, atua contra o vírus da hepatite B e dissolve cálculos renais, impedindo a contração da filtração glomerular e excreção urinária do ácido úrico, hidropisia, atua em infecções do fígado, icterícia, cólicas renais, moléstia da bexiga e retenção de urina.

Indicações

Doenças crônicas da bexiga, dissolve os cálculos, inflamações, proteinúria, elimina o ácido úrico e areia dos rins e da bexiga, previne cálculos biliares, diabetes, cura afecções das vias urinárias, azia, prisão de ventre, icterícia, falta de apetite, ótimo para relaxar, na cistite, musculatura dos ureteres e da próstata, hidropisia e cólicas renais.

Contraindicação: na gravidez.

Dosagens

Infusão: 4g das folhas para uma xícara de água, três vezes ao dia.

Tintura: quinze gotas, três vezes ao dia.

96
Quina
(Cinchona)

Parte utilizada

Casca.

Constituintes

Existem quatro variedades de espécies, mas todas são medicinais. Constitui um princípio amargo, alcaloides indólicos, óleo essencial que contém limoneno, quina-quina, sais minerais, ácido fenólico, ácido cafeico, quinina, oxalato de cálcio, fitosteróis, beta-sitosterol, resinas, cânfora, naftaleno, humuleno, quimotoxina, saponinas, tanino, triterpenos, b-cariofileno, terpineno, p-cimeno e quinidina.

Ação

Estimulante da secreção do suco digestivo, é indicado para problemas hepáticos estomacais e intestinais e combate os estados de debilidade orgânica e generalizadas.

Propriedades

A quina inativa as enzimas celulares, age como tóxico para o protozoário da malária, normaliza a atividade cardíaca e atua na convalescença, na anemia, má digestão, dispepsia atômica, febre e anorexia. Tônico estimulante do crescimento capilar, antimalárica, anticaspa, antisséptica, febrífuga e protetor do coração, que previne arritmias e palpitações.

Indicações

É o primeiro e mais eficiente remédio contra a febre da malária ou qualquer tipo de febre intermitente. É indicado contra qualquer tipo de anemia, gripes, estimulante do apetite, usa-se na anorexia, gastralgia, dispepsia e na arritmia cardíaca.

Contraindicação: na gravidez.

Dosagens

Pó: da casca, 1 a 4g por dia; tomar diluído em água.

Tintura: até 20ml ao dia; em casos graves e demais, uma colher de chá, três vezes ao dia.

97
Romã
(Punica granatum)

Parte utilizada

Folha, flor e casca do fruto.

Constituintes

É oxidante, adstringente, mineralizante e refrescante, contém: carboidratos, proteínas, lipídios, fibras, glicídios, sais minerais e vitaminas B1, B2, B5, B6 e C, fósforo, ferro, potássio, cálcio e sódio, tanino, pilieterina, isopelieterina, granadina, punicina, manita e ácido gálico.

Ação

Seu suco em forma de xarope tem ação na difteria, angina, afecções, inflamações da garganta, do sistema geniturinário e gastrintestinal.

Propriedades

A romãzeira é um arbusto ornamental e medicinal. Além do suco saboroso da fruta, suas folhas, flores e cascas são remédio excelente.

Indicações

A casca da fruta é ótima nos casos de diarreia, disenterias; as flores e folhas são excelentes nos problemas gástricos, urinários, nas inflamações da garganta.

Dosagens

Infusão: 10g da casca em meia xícara, de 4 a 5 vezes ao dia; 10g das folhas e flores em uma xícara, três vezes ao dia.

98
Sabugueiro
(Sambucus nigra)

Parte utilizada

Folha, flor, fruto e raiz.

Constituintes

Seu princípio ativo são flavonoides, como a rutina, isoquercitina, tanino, mucilagem, óleo essencial, fenóis, ácido málico, ácido tartárico e alcaloides. Possui boa fonte de vitamina A, ferro, sódio e potássio; os alcaloides, sambuicina, glicosídeos, sambunigrina, eldrina, polifenóis, ácido clorogênico e cafeico, ácido cítrico, pectina, antocianosídeo, açúcares, redutores e colina.

Ação

Antifebril, seu valor medicinal é universalmente conhecido. Seu chá é o tradicional socorro para casos de sarampo, escarlatina ou varíola, catapora; doenças que custam aparecer na pele, mas que estão incubadas no corpo, principalmente em crianças que apresentam febre muito alta. Um simples chá deste poderoso arbusto, que estimula a erupção característica, ajuda no diagnóstico imediato da doença, além de ajudar até o final do ciclo da doença.

Propriedades

Antirreumático, emoliente, diurético, laxativo, anti-espasmódico, atua sobre a permeabilidade capilar e tonifica os vasos capilares. Estimula a circulação periférica, desenvolve uma ação emoliente que protege os tecidos contra a inflamação e irritação e é útil nas gripes mal curadas e resfriados. Ótimo no tratamento da hidropisia abdominal, favorece uma substância resinosa de efeito purgativo muito eficaz e combate o catarro das vias respiratórias, desobstruindo as vias aéreas e reduzindo o excesso de muco.

Indicações

Gripes, resfriados, tosses, asma, nevralgias, todos os problemas das vias aéreas, suspendendo dores em geral, anginas, doenças da pele, como coceira, sarampo, na escarlatina, varicosas e catapora. Usa-se o chá das flores com mel (tomar quente) para reumatismo, gota, artrite, cistite, hidropisia e todos os problemas renais, como nefrite e litíase renal (cálculos). Elimina o ácido úrico da urina, nevralgias, constipação, purifica o sangue e limpa os rins.

Dosagens

Infusão ou decocção: flores secas, de 2 a 4g, três vezes ao dia; folhas, duas colheres de sopa por xícara de água, três vezes ao dia.

99
Salsaparrilha
(Smilax papyracea)

Parte utilizada

Toda planta.

Constituintes

Parrilina, amido, similasaponina, salsaponina, oxalato de cálcio, potássio, óleo essencial, sitosterol, estigmasterol, glicosídeos, que após hidrólise se decompõem em glucose e sapogenina; mucilagens e saponinas, resina, amido, sais minerais, especialmente potássio.

Ação

Antissifilítico, antirreumático, anti-inflamatório, diurético, depurativo, sudorífera e diaforética.

Propriedades

Antissifilítica, grande depurativo do sangue, ação antidermatose, atua nas afecções dérmicas e sifilíticas, dartros, reumatismo e gota. Possui propriedades profundas sobre o sistema urinário, genital e pele, atua na litíase renal, cólicas nefríticas, favorece a secreção do ácido úrico e da ureia e diminui as taxas de colesterol total e LDL do sangue.

Indicações

Cólicas renais, cistite, cálculos renais, menorragias, herpes, reumatismo, eczemas, dismenorreia, câncer de mama, nefrites, artrite reumática, dermatite, psoríase, ácido úrico, gota e cálculos da bexiga.

Dosagens

Infusão: 2 a 4g de folha por xícara de água. Tomar três vezes ao dia.

Pó: de 1 a 4g ao dia.

Tintura: de uma a três colheres de sobremesa diárias, de acordo com a necessidade, antes das refeições.

100
Sálvia
(Salvia officinalis)

Parte utilizada

Folha e flores.

Constituintes

Terpenos, ácido ursólico, óleo essencial, cincol, tuiona, cânfora, ácido oleanoico, ácidos orgânicos, emoliente, glicosídeos, alfa e beta-amirina, betulina, flavonoides, tanino, resina, substância amarga picrosalvina, substância estrogênica, ácido clorogênico e labiático, saponinas e mucilagem.

Ação

Tônica, digestiva, diurética, emoliente, hipoglicêmica, carminativa, estimulante, emenagoga, adstringente, antidiarreica, antissudorífera, antisséptica, aromática, antioxidante, anticaspa e antiqueda de cabelo.

Propriedades

Dermopurificante, desodorizante, antiperspirante, pela capacidade de fechar os poros dilatados, reduzindo o excesso de oleosidade. Devido à presença de flavonoides, é sedativa sobre o centro do calor; sua emoliência é dada pela mucilagem, que possui a capacidade de reter água, e a secreção lacta e salivar também são diminuídas. Atua na tuberculose, menopausa, febres e problemas nervosos.

Indicações

Afecções da pele; auxilia na digestão, nos problemas estomacais e intestinais, problemas micóticos, afecções da boca, estomatite, gengivite, aftas, garganta, laringite, faringite, inflamações gastrintestinais e elimina as cólicas menstruais. Sua essência é usada na confecção de perfumes, loções, cremes para o tratamento de rugas e é estimulante no crescimento capilar.

Contraindicação: na gravidez e lactação.

Dosagens

Infusão: 3 a 5g para uma xícara de água. Tomar de preferência quente, três vezes ao dia. Nos problemas de garganta, tomar o chá e fazer gargarejo.

Fitocosméticos: sua essência é usada como fixador na confecção de perfumes, em produtos anticaspa e estimulantes do crescimento capilar, cremes e loções para peles oleosas e com acne, produtos estimulantes para banhos e tratamento de rugas.

101
Spirulina
(Spirulina maxima)

Parte utilizada

A alga inteira.

Constituintes

Microalga verde-azulada. É uma alga unicelular, formada por células grandes, que cresce em águas alcalinas; ricas em minerais, em proteínas, hidróxido de carbono, lipídios e vitaminas A, E, B1, B5, B6 e B12, beta-caroteno, inositol, goma; ácidos linoleico, linolênico e araquidônico, clorofila; aminoácidos essenciais, fenilalanina; sais minerais, cálcio, magnésio, ferro, cloro, sódio, iodo, potássio e fósforo; aminoácidos não essenciais, biotina e ferredoxina.

Ação

Inibidora do apetite, controla a saciedade e é um complemento dietético muito eficaz que, através do aminoácido fenilalanina, precursora do hormônio colecistoquinina, determina o nível de saciedade no estômago. É um purificador do trato digestivo, relaxante e calmante da mucosa gástrica e sua ação é evitar a produção excessiva do suco gástrico nas pessoas ansiosas.

Propriedades

Esta alga é supressora natural do apetite nas dietas de emagrecimento, controla a ansiedade e previne a depressão, atuando no sistema nervoso central e aumentando o aprendizado. Alerta a memória, ativa o sistema nervoso muscular e previne a anemia, a fadiga e o cansaço fácil por excesso de trabalho mental e intelectual. Cicatrizante, através da biotina e ferredoxina, auxilia na eliminação do dióxido de carbono, impedindo a formação de ácidos lácticos e pirúvicos, que, na ausência do oxigênio, promovem a decomposição dos açúcares, sendo responsáveis por câimbras e fadiga muscular do atleta quando em exercícios físicos prolongados. Possui alta digestibilidade e previne a queratização da pele.

Indicações

Anemias, convalescença, uso abusivo de bebidas alcoólicas, vícios, alimentos enlatados e com conservantes, fadiga, cansaço fácil, carência de vitaminas e minerais, principalmente cálcio, dietas de emagrecimento, pessoas que não preferem alimentação natural e que não têm horário certo para as refeições, e fitocosméticos para tratamento da pele; previne a queratização.

Dosagens

Complemento alimentar, 1g ao dia. Para regime de emagrecimento, de 2 a 3g ao dia. Atletas com exercício intenso, de 7 a 10g ao dia.

102
Tanchagem
(Plantago major)

Parte utilizada

Folha e semente.

Constituintes

Planta conhecida também como transagem e tansagem; contém flavonoides, ácidos orgânicos: ácido clorogênico, ácido ursólico, saponinas, tanino; sais minerais, cálcio, ferro, enxofre, potássio, fósforo, colina, vitamina C, mucilagens, heterosídeos, óleo essencial, resina, glicosídeos, alcaloides, alantoína, enzimas, antraquinonas (nas sementes), ácido clorogênico e ácido silícico.

Ação

Adstringente, anti-inflamatório, emoliente, cicatrizante, bactericida, expectorante, diurético, depurativa, antidiarreica, antibiótica, fortificante, febrífuga, tônica nutritiva e hemostática. As sementes são laxativas.

Propriedades

Depurativa do sangue; atua nas afecções uterinas, na incontinência urinária, no câncer de estômago e na inflamação da bexiga. Limpa a pele das erupções e dermatites, impede a formação de cálculos renais e biliares e atua nos problemas do aparelho respiratório, na fraqueza dos pulmões e na tuberculose, e nas hemorroidas. É ótimo para crianças fracas e atrasadas no crescimento.

Indicações

Dores de ouvido, dos olhos (conjuntivite), gripe, dores e inflamações de gengiva e garganta, amigdalite, faringite, afta, doenças do estômago, intestino, rins e bexiga, na prisão de ventre, anemia, fraqueza pulmonar, catarro, bronquite, tuberculose, erupções da pele, dermatite, azia, gastrite, úlceras, flebite, palidez, hemorragia pós-parto, feridas e úlceras varicosas. Não tem contraindicações.

Dosagens

Infusão: 3 a 4g de folhas para uma xícara de água, tomar uma xícara de três a quatro vezes ao dia.

Tintura: uma colher de sobremesa, quatro vezes ao dia, na água.

Tintura mãe: quinze gotas, de três a quatro vezes ao dia, para gargarejos, no caso de úlceras da boca, aftas, gengivites, lábios rachados e inflamações da garganta. Os gargarejos constantes com esse chá fazem desaparecer inchações das amígdalas.

Cataplasma: para úlceras varicosas, mordeduras venenosas, feridas, hemorragia e tumores.

Obs.: para tirar espinhos ou estilhaços de vidros, passar levemente a folha na chama fraca e colocar no local.

Alimentação: pode-se usar em saladas e sopas.

Atenção: homeopatia só com prescrição médica.

103
Unha-de-gato
(Uncaria tomentosa)

Parte utilizada

Folha.

Constituintes

Alcaloides, compostos oligômeros procianidólicos, glicosídeos, ácido quinóvico, cianídrico e oligoelemento.

Ação

Anti-inflamatória, antioxidante, imunológica, antirreumática e antiartrítica.

Propriedades

Anti-inflamatória, auxilia no tratamento do câncer, disenteria, úlceras, lúpus, reumatismo, aids, gota e artrite reumatoide. Evita os radicais livres, alivia as dores crônicas e sinusite, e fortalece o sistema imunológico. Reduz as dores e inflamações nos casos de gota, artrite e Aids.

Indicações

Infecções, dores reumáticas, lúpus, sinusite, artrite, disenteria, problemas estomacais e úlceras.

Contraindicações: para gestantes, criança com menos de 3 anos e em casos de mulheres que desejam engravidar.

Dosagens

Tintura: preparada em laboratório, 15 gotas na água, três vezes ao dia.

Atenção: este remédio não tem nada a ver com o cipó unha-de-gato.

104
Urtiga
(Urtica dioica)

Parte utilizada

Folhas frescas ou secas e raiz.

Constituintes

Seu princípio ativo principal é a clorofila, tanino, lecitina, secretina, ácido fórmico, ácido salicílico, mucina, cera, carotenoide, sais minerais, enxofre, silício, sódio, potássio, magnésio, ferro e manganês, vitaminas A, C, B2 e B5, ácidos graxos, fitosteróis, glicosídeo, quercitina e beta-sitosterol.

Ação

A urtiga atua efetuando simultaneamente os movimentos peristálticos intestinais. Pelo teor de compostos orgânicos, como o ferro e a clorofila, que se dá a renovação do sangue, aumentando a hemoglobina e os glóbulos vermelhos.

Propriedades

Tônico adstringente, vasoconstritor, hemostático, depurativo, digestivo; atua favorecendo o metabolismo da glicose na diabetes, como insulina natural, mas o chá deve ser controlado e também a glicose. Atua na hemorroida, hemorragias, depura o sangue e aumenta a secreção renal de ácido úrico. Atua como excitante da mucosa gástrica, do intestino, pâncreas e vesícula biliar, aumentando as secreções dos sucos digestivos.

Indicações

Disenterias, como um laxante suave, normaliza o intestino, melhora as cólicas, nefrites, elimina a areia e os cálculos dos rins, a congestão e inflamação renal, a icterícia e os espasmos gástricos.

Dosagens

Decocção: 6g da folha para meio litro de água, dividir em três taças ao dia.

105
Uva-ursi
(Arctostaphylos uva-ursi)

Parte utilizada

Folha.

Constituintes

Seu princípio ativo são flavonoides, ácidos fenólicos, tanino, terpenos, ácido gálico, ácido elágico, arbutina, metilarbutina, triterpenos, uvalol, isoquercitina e ácido ursólico.

Ação

Desintoxicante, antioxidante, antibacteriano, anti-inflamatória, antisséptica, adstringente, eficaz contra estafilococos e Escherichia coli, diurética, atua na cistite, uretrite, nefrite, inflamação e hipertrofia da próstata.

Propriedades

Atua na blenorragia, na inflamação das vias urinárias, diarreia aguda e litíase renal. A arbutina é um beta-glucosídeo da hidroquinona; nesta forma ela é completamente inativa no organismo e desdobra liberando uma aglicona provida de propriedades antibacterianas, eficaz contra a Escherichia coli e estafilococos.

Indicações

Diarreia aguda, alivia as cólicas uterinas, a irritação das vias urinárias, dissolve e elimina os cálculos e areia dos rins, o ácido úrico e uratos de cálcio dos artríticos, auxilia em todos os problemas do fígado e estômago e atua em todos os problemas hepáticos, na uretrite e hipertrofia prostática.

Dosagens

Infusão: 10 a 15g de folha para um litro de água. Tomar duas a três xícaras ao dia.

Tintura: 5 a 30ml por dia.

Pó: em forma de cápsula, 1 a 6g por dia.

106
Valeriana
(Valeriana officinalis)

Parte utilizada

Raiz.

Constituintes

Princípio ativo, matéria resinosa e péptica, ácido valeriânico, propiônico, ácido málico, acético, fórmico, alcoóis, terpênicos, resina, alcaloides, ésteres, óleo essencial, aldeídos e cetonas, pineno, borneol, valeranona, valerol, hidrocarbonetos e monoterpeno, açúcar e amido.

Ação

Anticonvulsiva, hipotensora, espasmolítica, sedativa, vermífuga, relaxante, antiespasmódica; atua nos casos de nervosismo, de fadiga e dores intestinais.

Propriedades

A planta valeriana officinalis possui eficiência espasmolítica, cada vez mais usada contra nervosismo, ansiedade para dormir, agitação e outros distúrbios. Não é hipnótica, não cria dependência, não possui interação com álcool e com preparações ricas no extrato. Antiespasmódica, atua no sistema digestivo, excita o sistema circulatório e contribui para a cicatrização de feridas.

Externamente, usa-se nas contusões e atua como depressora do sistema nervoso, na hipocondria, na histeria e epilepsia.

Indicações

Hiperexcitabilidade, insônia, histeria, fadiga, taquicardia, dores de cabeça, cólica, parasitose gastrointestinal, cefaleia de origem nervosa, eczema, acne, dermatoses, estresse, contusões, parasitoses, poliúria, diabetes e febres.

Dosagens

Pó: 1g, três vezes ao dia, devendo ser preparado em farmácias (em cápsulas), de acordo com a necessidade de cada um.

Princípios gerais de secagem das ervas

As plantas podem ser constituídas de folhas, flores, botões florais, frutos, látex, casca, caule, tubérculos, sementes e raízes.

É preciso ter cuidados na maneira de secá-las para que não se perca suas qualidades medicinais.

As folhas, flores e frutos: devem ser colhidos com aspecto sadio, secar à sombra, em área coberta, limpa e bem ventilada.

As cascas: devem ser colhidas de plantas adultas e sadias, antes de retirá-las deve-se raspar para retirar a superfície impregnada de iodo, poeira ou insetos. Após a retirada, deve-se lavar rapidamente em água corrente e depois secar ao sol ou estufa.

As raízes: logo ao arrancar do solo, lavar rapidamente em água corrente, retirando toda a terra que ficou agregada. Raízes com partes afetadas por fungos ou vermes, apresentam nódulos e não devem ser usadas. As raízes sadias devem ser descascadas, secadas e guardadas com a mesma recomendação das cascas.

Sementes: são as de mais durabilidade e devem ser colhidas de frutas maduras, sadias e limpas. Secar com ventilação ou lavar e secar ao sol e guardar ao abrigo da umidade e de insetos.

Algumas dicas de preparo das ervas

Cataplasma: é preparada com farinha de mandioca, água quente e óleo de plantas medicinais, colocando-se entre dois panos finos (tipo compressa) e depois no local da dor.

Decocção: colocar a planta na água fria e ferver de 10 a 20 minutos, dependendo da consistência da parte da planta.

Inalação: são vapores quentes com aroma de plantas, por exemplo: alecrim, eucalipto etc.

Infusão: colocar água fervente sobre a planta, cobrir e deixar em repouso por 5 a 10 minutos, até chegar à temperatura apropriada para o uso.

Maceração: colocar a planta amassada ou picada de molho em água fria de 10 a 24 horas, dependendo das partes utilizadas. Folhas e sementes, partes tenras, deixar de 10 a 12 horas. Após este tempo é só coar e usar.

Tintura: prepara-se para uso externo como maceração, só que ao invés de água usa-se álcool. Para uso interno:

recomenda-se que deve ser preparada em laboratório farmacêutico, assim como em cápsula, mas só com orientação do profissional de saúde.

Glossário

Abcessos: Coleção de pus dentro de tecidos orgânicos, em consequência de inflamação.

Absorsão: Um processo pelo qual os nutrientes são absorvidos pelo trato intestinal e vão para a corrente sanguínea para serem utilizados pelo organismo.

Acetilcolina: Um dos produtos químicos que transmitem impulsos entre os nervos, células nervosas e musculares.

Ácido clorídrico: Sua fórmula é HCl. Encontrado nos sucos gástricos, tem a função de auxiliar no processo digestivo.

Ácido graxo essencial (AGE): É aquele ácido que o organismo não produz e precisa ser fornecido através dos alimentos, como o ácido linoleico e o linolênico insaturados.

Ácidos orgânicos: Diversos vegetais apresentam ácidos orgânicos, que lhes conferem sabor. Possuem propriedades farmacêuticas, e caracterizam-se como ação refrescante e laxativa como os ácidos tartárico, málico, cítrico e cilício.

Acidose: Acúmulo de ácidos no organismo, com maior frequência em pessoas que se alimentam regularmente de alimentos ácidos.

Adipose: Aumento, em regra patológico, de gorduras no tecido celular subcutâneo: obesidade.

Adrenérgico: Ativado pela adrenalina. Em geral se aplica às fibras nervosas do sistema nervoso simpático.

Adstringente: Produto que contrai os tecidos orgânicos, promovendo o fechamento dos poros.

Afecção: Alteração da saúde, perturbação patológica localizada em determinado órgão.

Albumina: A mais importante classe de proteínas animais e vegetais, caracteriza-se por sua solubilidade na água e coagulabilidade pelo calor.

Albuminúria: Presença de albumina na urina.

Álcalis: Hidróxido de metal alcalino, compostos que reagem com ácidos para formar sais.

Alcaloides: Formam um grupo heterogêneo de substâncias orgânicas, difundidos pela função amina, dá a seus constituintes propriedades químicas próprias e que, de maneira geral, atuam no sistema nervoso central, e em solução são levemente alcalinos.

Anticorpo: Proteína produzida pelo organismo, que se liga aos antígenos para neutralizar, inibir ou destruí-los. Contrabalança os efeitos de organismos invasores.

Antiflogístico: Agente terapêutico para combater a inflamação; repulsivo.

Antígeno: Qualquer substância ou microrganismo que determina uma reação imunológica e que consegue provocar a produção de anticorpos específicos para essa substância.

Antioxidante: Qualquer classe de composto que se adiciona a outra substância para retardar a oxidação, a deterioração e ranceficação, impede o dano por RL.

Antisséptico: Que inibe e detém a ação dos micróbios infectantes.

Antocianidinas: Um grupo de flavonoides que merece destaque, cuja nomenclatura é derivada do grego; são pigmentos encontrados na seiva das plantas.

Arritmia: Alteração do ritmo cardíaco, devido à perturbação na condutibilidade do estímulo neuromuscular.

Arterosclerose: Qualquer uma das várias alterações proliferativas das artérias, caracterizadas pela calcificação de placas amareladas, acarretando espessamento das paredes arteriais e perda de elasticidade.

Astenia: Perda de força, esgotamento físico.

Ataxia: Incoordenação motora, com tremor intencional, desordens da palavra, nistagmo anisiocoria, fenômenos cerebelares consequentes a infecções agudas ou intoxicação.

Aterosclerose: Processo patológico crônico e progressivo de deposição de produtos do metabolismo orgânico. É um processo em que as substâncias gordurosas como colesterol e triglicerídios, de forma irregular, são depositadas nas paredes das artérias médias e grandes, levando ao bloqueio das mesmas. Atinge todas as artérias, porém mais frequentemente as coronárias, as cerebrais e a aorta.

Atonia: Deficiência de tônus. Estupor com imobilidade completa, observada na forma catatônica de demência precoce em estado depressivo ou melancolia aiônica.

Bactéria: Organismo unicelular microscópico, que pode tanto ser benéfico como nocivo ao indivíduo. Existem os que podem causar doenças, como os que podem proteger o corpo de organismos invasores ofensivos.

Bactericida: Que destrói ou mata germes, especificamente bactérias.

Bacteriostática: Substância que impede a multiplicação das bactérias sem destruí-las.

Bainha de mielina: Substância gordurosa branca que circunda as células nervosas e auxilia na transmissão de impulsos nervosos.

Beribéri: Moléstia devido à carência de vitamina B1(tiamina).

Biossíntese: Produção de um componente químico, como os aminoácidos, por um sistema vivo.

Cirrose: Fibrose difusa que destrói a arquitetura lobular normal do fígado; doença crônica que compreende alterações dos hepatócitos, com destruição das células hepáticas parenquematosas, caracterizada pela substituição de células hepáticas por tecido cicatricial, cuja causa mais frequente é o alcoolismo.

Coenzimas: Substâncias não proteicas produzidas pelas células. Molécula estável ao calor, é essencial na formação de certas enzimas que participam nas funções químicas específicas. As coenzimas ajudam na ligação das vitaminas e dos minerais.

Colágeno: Tecido também chamado conjuntivo e que produz substância gelatinosa pela fervura em água; substância fundamental de tecido conjuntivo que, além de encher as lacunas dos tecidos parenquematosos, produz fibras colágenas, elastina e reticulares.

Corticosterona: Hormônio esteroide, que ocorre no córtex adrenal; é liberado pelas glândulas adrenais. Tem influência no metabolismo hidrocarbonado e eletrolítico, regula o metabolismo sódio/potássio, tem grande eficiência muscular e dá proteção contra o estresse.

Cortisol: Glicocosteroide adrenocortical, hormônio secretado pelo córtex das glândulas suprarrenais, participa no metabolismo das gorduras, carboidratos, proteínas, sódio e potássio.

Creatinina: Produto final do metabolismo da creatina, encontrada em altos níveis nas doenças renais; é excretada através da urina em taxa constante.

Degeneração: Alteração regressiva das células, caracterizada por deterioração citoplasmática inicial. Em alguns casos pode ocorrer morte nuclear, sem reação a uma lesão, processo regressivo que inclui até a morte dos nervos, axônios ou tratos do sistema nervoso central (SNC).

Desnutrição: Estado patológico secundário a uma deficiência de nutrientes; quase sempre se deve a mecanismos que agem de modo crônico, provocando a instalação progressiva e lenta de quadro clínico pertinente, que pode se dar por anorexia, alimentação inadequada ou insuficiente ou má absorção de nutrientes.

Doença de Alzheimer: Demência pré-senil que se distingue patologicamente pela atrofia cortical difusa, que atinge frequentemente a totalidade dos lóbulos frontais e temporais, e pela presença de placas e degeneração neurofibrilar, alterações também observadas nos gânglios basais.

Elefantíase: Doença crônica caracterizada pela hipertrofia de uma parte do corpo, em consequência de edema duro, acompanhado de fibrose do tecido celular subcutâneo.

Eletrólito: Substância que, em solução, conduz a corrente elétrica e é por ela decomposta.

Esclerose múltipla: Desmineralização seguida de glicose e formação de placas que atingem diferentes porções do sistema nervoso. Os sintomas principais são: tremor intencional, nistagmino, fala escondida, transtornos urogenitais, labilidade emotiva, ataxia e retinite retrobulbar.

Esclerose: Endurecimento, especialmente em alguma parte, pela proliferação exagerada do tecido fibroso, endurecimento do sistema nervoso, por atrofia ou degeneração dos elementos nervosos e hiperplasia do tecido intersticial. Abrange também um espessamento das túnicas arteriais produzidas por proliferação de tecido conjuntivo fibroso e deposição de lipídios e sais de cálcio.

Febre reumática: Febre súbita causada por bactérias, esta febre pode provocar doença cardíaca e/ou renal se não retida a tempo. Geralmente causa sopro cardíaco, necessitando de troca de válvula no coração.

Flavonoides: Os flavonoides formam um grupo muito extenso, possuindo ampla distribuição no reino vegetal, ação sobre os capilares e em determinados distúrbios cardíacos, circulatórios e antiespasmódicos.

Fribrilação: Movimentos ou contrações muito rápidas e descoordenadas do coração, tremores musculares incoordenados, envolvendo fibras individuais e batimentos cardíacos irregulares.

Glicosídeos: Composto de uma fração de açúcar mais genina (aglicona), substância de propriedade terapêutica; seu gosto é mais amargo do que os alcaloides. Os glicosídeos podem ser: alcalinos, cianogênicos, cardiativos, antraquinônicos, lavanoides ou bioflavonoides e saponínicos.

Glúten: Substância nitrogenada sólida, formada pelas proteínas do trigo e de certos grãos que dão a eles o caráter elástico, a gliandina e a glutelina.

Gota: Forma hereditária de artrite, caracterizada por hiperuricemia e recidivas paroxísticas agudas, ocorre em geral numa única articulação periférica, seguida de remissão complexa de fenômeno clínico.

Heterosídeos: São substâncias amplamente distribuídas no reino vegetal. Apresentam ações e efeitos tão diversos que é difícil agrupá-las sob o conceito químico.

Hidropisia: Acumulação mórbida anormal de líquido seroso em tecidos em qualquer parte ou cavidade do corpo, principalmente no abdomem.

Impetigo: Doença inflamatória aguda da pele, causada por estafilococos ou por estreptococos, é caracterizada por vesículas e bolhas subcórneas que se rompem e formam crostas amareladas.

Imunomoduladora: Diz-se de um produto que modula o desenvolvimento das reações imunitárias, como por exemplo intoxicação cianídrica e por gás incolor extremamente venenoso, libertado quando se fazem reagir cianeto com ácidos, que em solução aquosa é chamado prússico ou hidrociânico.

Infarto: Morte de uma área localizada de tecido por falta de suprimento de oxigênio. Na maioria das vezes se dá no coração como infarto do miocárdio, entretanto pode ocorrer em qualquer órgão.

Infecção: É a invasão de um hospedeiro por organismos, como vírus, protozoários, fungos ou bactérias, resultando em estado patológico.

Isômero: Diz-se dos componentes químicos formados pelos mesmos elementos, nas mesmas proporções, mas apresentam propriedades diferentes.

Isquemia: Redução ou deficiência de sangue pela contração dos vasos.

Levedura: É um organismo unicelular que pode causar contaminações na boca, na vagina, no trato gastrointestinal e em qualquer parte do corpo. As infecções causadas por esse organismo são candidíase (sapinho).

Linfa: É um fluido claro que se encontra nos vasos linfáticos e é recolhido dos tecidos; sua função é a de nutrir as células dos tecidos e levar resíduos para a corrente sanguínea. O sistema linfático, eventualmente, conecta-se à circulação venosa.

Metabolismo: São processos químicos das células vivas, responsáveis pela produção de energia, biossíntese de substâncias importantes e degradação de vários compostos. Esta energia repõe os tecidos e mantém um organismo saudável.

Meteorismo: Presença de gás em excesso no sistema gastrintestinal.

Mitocôndria: É um filamento que fornece energia às células, relacionada à síntese de proteínas e ao metabolismo dos lipídios.

Mucilagem: No sentido botânico farmacológico, entende-se por mucilagem as substâncias macromoleculares de natureza glicídica e que incham quando em contato com água, proporcionando um líquido viscoso.

Nefrite: É uma inflamação dos rins, causando retenção de urina e outras toxinas, que são normalmente filtradas no sangue pelos rins.

Neuropatia: É um grupo de sintomas, causados por anomalias nos nervos motores ou sensoriais. Caracteriza-se por dormência ou formigamento nas mãos ou nos pés, seguido de miastenia gradual progressiva.

Neurotransmissores: Qualquer substância química que pode modificar e resultar na transmissão de impulsos nervosos entre os neurônios no cérebro e nos nervos.

Óleos essenciais: São compostos aromáticos, geralmente voláteis, retirados dos vegetais, onde são encontrados, ou na forma continuada. São extraídos por destilação, por expressão ou extração por solventes.

Osteoporose: Decréscimo absoluto de tecido ósseo, acarretando dilatação da medula e dos canais haversianos, tornando os ossos porosos, moles e largos.

Pericardite: Inflamação do pericárdio, tecido que se encontra ao redor do músculo cardíaco.

Peróxido: São subprodutos dos radicais livres em nosso organismo, quando as moléculas de gorduras reagem com o oxigênio.

Psoríase: Dermatite inflamatória crônica idiopática, caracterizada pelo aparecimento de placas vermelhas, cobertas por escamas imbricadas brancas prateadas. Atinge especialmente a superfície do corpo e o couro cabeludo, podendo ocorrer variação ou evolução da forma crônica, exibindo pústulas superficiais com placas vermelho-escuras, e lesões bucais, além de surgir febre e calafrios no início.

Radicais livres: Composto não iônico, altamente reativo e de vida relativamente curta, no qual o elemento central está ligado a um número anormal de átomos ou de grupamentos de átomos, caracterizado pela presença de pelo menos um elétron não emparelhado ou valência livre.

RNA (ácido ribonucleico): Substância química proteica complexa, que desempenha importante papel no transporte de informações do núcleo da célula para o citoplasma; tem grande importância na codificação e informações genéticas, com o DNA; é encontrado nas células animais e vegetais.

Saponinas: As saponinas, ou saponosídeos, formam um grupo particular de heterosídeos, e o seu nome provém da propriedade de formar espuma abundante, quando agitadas com água, à semelhança de sabão, que emulsiona o óleo na água e que possui um efeito hemolítico.

Serotonina: É um neurotransmissor presente em numerosos tecidos, especialmente no sangue e no tecido nervoso; estimula diversos músculos lisos e nervos; é essencial ao relaxamento, concentração e a um sono tranquilo.

Sistema imunológico: É uma combinação de células e proteínas que ajudam o hospedeiro a combater ou resistir a substâncias estranhas como vírus e bactérias nocivas. Estão inter-relacionados no funcionamento do sistema imunológico os seguintes órgãos: sistema linfático, medula óssea, fígado, baço e timo.

Taninos: Os taninos são compostos vegetais que possuem a propriedade de precipitar as proteínas da pele e das mucosas, transformando-as em substâncias insolúveis; possuem ação adstringente, antisséptica e antidiarreica.

Timo: Órgão localizado acima do coração, que pode ou não ser uma glândula endócrina; ele produz timócitos, os quais ajudam a manter o sistema imunológico alerta contra vírus ou bactérias invasoras.

Uremia: Taxa aumentada de ureia no sangue, estado de toxidez, anomalia bioquímica complexa que ocorre na insuficiência renal, caracterizada por azotemia, acidose crônica, anemia e diversos sintomas e sinais sistêmicos e neurológicos.

Referências

CARPER, J. *Alimentos*: o melhor remédio para a boa saúde. 14. ed. Rio de Janeiro: Campus, 1995.

CONCEIÇÃO, M. *As plantas medicinais do ano 2000*. 2. ed. rev. São Paulo: Tao, 1982.

COSTA, L.C. *Viva melhor com medicina natural*. São Paulo: Vida Plena, 1996.

FERREIRA, J.S. *Curso de Medicina Tradicional Chinesa*. Rio de Janeiro: Instituto de Acumpuntura, 1990.

FRÓIS, V. & ROCHA, A. *Farmácia caseira, plantas medicinais*. Rio de Janeiro: Iecam, 1997.

GUYTON, A.C. *Fisiologia humana*. 6. ed. Rio de Janeiro: Guanabara, 1988.

HUIBERS, J. *Plantas medicinais*: o livro de ouro de saúde. São Paulo: Hermus, 1980.

KALLUF, L. *Fitoterapia funcional*. São Paulo: Vida Plena, 2008.

MORANDINI, C. *Atlas de Botânica*. Vol. III. 13. ed. São Paulo: Nobel, 1986.

PÓVOA, H. *Cérebro desconhecido*. Rio de Janeiro: Objetiva, 2002.

"Segredo e virtudes das plantas medicinais". *Seleções do Readers Digest*. Lisboa/Queluz: Lisgráfica/Sarl, SARL, 1983.

TESK, M. & TRENTINE, A.M.M. *Herbarium*: Compêndio de Fitoterapia. 2. ed. Curitiba: Laboratório Botânico, 1995.

THOMÉ, A. *Saúde através do naturismo*. São Paulo: Vida Plena, 1990.

Coleção Medicina Alternativa

– *Câncer tem cura!*
Frei Romano Zago, OFM
– *A cura que vem dos chás*
Carlos Alves Soares
– *As plantas medicinais como alternativa terapêutica*
Carlos Alves Soares
– *As frutas que curam*
Carlos Alves Soares
– *Nutrição e fitoterapia – Tratamento alternativo através das plantas*
Eronita de Aquino Costa
– *Nutrição e frutoterapia – Tratamento alternativo através das frutas*
Eronita de Aquino Costa
– *Verduras e legumes que curam*
Carlos Alves Soares
– *Própolis – Muito além de um antibiótico natural*
Walter Bretz

CULTURAL

Administração – Antropologia – Biografias
Comunicação – Dinâmicas e Jogos
Ecologia e Meio Ambiente – Educação e Pedagogia
Filosofia – História – Letras e Literatura
Obras de referência – Política – Psicologia
Saúde e Nutrição – Serviço Social e Trabalho
Sociologia

CATEQUÉTICO PASTORAL

Catequese – Pastoral
Ensino religioso

REVISTAS

Concilium – Estudos Bíblicos
Grande Sinal – REB

TEOLÓGICO ESPIRITUAL

Biografias – Devocionários – Espiritualidade e Mística
Espiritualidade Mariana – Franciscanismo
Autoconhecimento – Liturgia – Obras de referência
Sagrada Escritura e Livros Apócrifos – Teologia

PRODUTOS SAZONAIS

Folhinha do Sagrado Coração de Jesus
Calendário de mesa do Sagrado Coração de Jesus
Agenda do Sagrado Coração de Jesus
Almanaque Santo Antônio – Agendinha
Diário Vozes – Meditações para o dia a dia
Encontro diário com Deus
Guia Litúrgico

VOZES NOBILIS

Uma linha editorial especial, com importantes autores, alto valor agregado e qualidade superior.

VOZES DE BOLSO

Obras clássicas de Ciências Humanas em formato de bolso.

CADASTRE-SE
www.vozes.com.br

EDITORA VOZES LTDA.
Rua Frei Luís, 100 – Centro – Cep 25689-900 – Petrópolis, RJ
Tel.: (24) 2233-9000 – Fax: (24) 2231-4676 – E-mail: vendas@vozes.com.br

UNIDADES NO BRASIL: Belo Horizonte, MG – Brasília, DF – Campinas, SP – Cuiabá, MT
Curitiba, PR – Fortaleza, CE – Goiânia, GO – Juiz de Fora, MG
Manaus, AM – Petrópolis, RJ – Porto Alegre, RS – Recife, PE – Rio de Janeiro, RJ
Salvador, BA – São Paulo, SP